Mito y desmitificación en dos novelas de José Revueltas

Helia A. Sheldon

colección **Alfonso Reyes**

Mito y desmitificación en dos novelas de José Revueltas

Helia A. Sheldon

EDITORIAL OASIS

n° 4

315679

Editorial Oasis

Primera edición, 1985

ISNB 968-6052-91-7

© 1983 Editorial Oasis
Oaxaca No. 28, México 06700, D. F.

Diseño: GLYPHO Taller de gráfica, S. C.

Impreso en México
Printed in Mexico

Para Alfred

Únicamente la libertad saca a los hombres del aislamiento. La servidumbre se cierne sólo sobre una multitud de soledades...

Camus

El hombre lleva dentro de sí no sólo su individualidad sino la de toda la humanidad con todas sus posibilidades, aunque sólo pueda realizar estas posibilidades de un modo limitado por las limitaciones externas de su existencia individual.

Goethe

NOTA PRELIMINAR

Esta monografía fue escrita para obtener el doctorado en Filosofía y Letras de la Universidad de California en Irvine. En 1974 y 1977, respectivamente, se publicaron dos artículos que han sido incorporados al capítulo III, los cuales aparecieron en revistas mexicanas.*
No se ha hecho una modificación considerable al original, excepto una revisión a las notas bibliográficas y el agregado de un apéndice, para actualizar y reorganizar la crítica publicada sobre el autor.
Teniendo en consideración la función pedagógica que este tipo de análisis puede prestar en el aula se han mantenido muchas de las citas bibliográficas, que pueden ser parcialmente ignoradas por el lector en busca de una lectura menos fatigosa.

Aprovecho aquí la ocasión de expresar mi deuda de gratitud a mis maestros de Irvine, especialmente a Seymour Menton y a Juan Villegas. También, quiero patentizar mi reconocimiento al Pitzer College que me concedió el tiempo para la elaboración, y más tarde para la revisión, del manuscrito; con singular mención a la señora Teresa Hidalgo quien reescribió pacientemente las partes corregidas.

Va mi profundo reconocimiento a mi amigo y colega de los Claremont Colleges, Guillermo Villarreal, a mis queridos amigos mexicanos Surya Peniche y Joaquín Sánchez Macgrégor por sus palabras de aliento y a Andrea Revueltas y Philippe Cheron quienes generosamente me brindaron los documentos inéditos sobre el autor.

* "El arquetipo femenino en *El luto humano* de José Revueltas". *Comunidad*, (México), Vol. IX, No. 49 (agosto de 1974), pp. 389-396 y "La Malinche en José Revueltas" *Fem* (México), Vol. I, No. 3 (abril-junio de 1977), pp. 51-53.

CAPÍTULO I

FUNCIÓN DEL MITO

En el presente estudio se propone un análisis crítico del uso del mito y su función, la mitificación y la desmitificación de la realidad, en dos novelas del escritor mexicano José Revueltas (1914-1976): *El luto humano* (1943) y *Los días terrenales* (1947). Se identificarán asimismo estructuras y motivos arquetípicos que reaparecen en la mayor parte de sus escritos literarios, ofreciendo una nueva comprensión de la estructura y los ingredientes estéticos de su ficción. Hasta donde es posible determinar, el enfoque empleado —el mítico-arquetípico— esclarece algunas vetas inexploradas hasta la fecha en la obra de Revueltas y se espera que contribuya modestamente a la revalidación —ya tan urgente— de la narrativa del autor mexicano.

Existen varias razones de peso que apuntan hacia la revitalización del mito; ya que indaga en el conflicto humano, está ligado, por un lado, al destino del hombre y a su posición en el universo; y por otro, es un efectivo instrumento cognoscitivo de la naturaleza humana.

Mircea Eliade señala que esta fascinante atracción y divulgación del mito se debe no sólo a las condiciones históricas sino a que el mito expone una "situación límite".[1] Dicha afirmación coincide con la predilección de José Revueltas por este tipo de situaciones y también por los mitos. Revueltas niega una visión maniqueísta en su narrativa e insiste en que él coloca al hombre "en situaciones extremas que es donde se revela más". Esta misma idea de colocar al

[1] M. Eliade. *Images and Symbols* (New York: Sheed and Ward, 1961), p. 34.

hombre en situaciones extremas ha sido también expresada por Mal raux, Camus, Sartre, Kafka, Musil y Sábato, entre otros escritore

La obra de José Revueltas a primera vista presenta dos posible vías de acceso: la ensayística o dialéctica y la literaria. Sin embarg la vida tumultuosa del escritor, su ideario político y teórico y s obra en general, son difíciles de escindir y así ha sido demostrad elocuentemente por varios de sus estudiosos. Suscribimos esta opinió y reiteramos que su producción narrativa está arraigada en la prax política y en las numerosas visicitudes que agobiaron su espíritu lo largo de su vida.

José Revueltas sostuvo una larga y agónica lucha interna que l consumió, inmerso en un vórtice de fuerzas contrarias, entre la ideo logía y la estética, su postura de artista y de ser humano íntegr y la solidaridad partidista. Esta crisis culmina en 1964 con la publi cación de *Los errores* en la cual el escritor con plena conciencia lucidez de principios políticos ratifica y expande lo que tan dolo rosamente declarara en *Los días terrenales*. Marxista *sui generis,* lu chador rebelde y tenaz, su postura hizo que su obra fuera desdeñada o severamente enjuiciada por los críticos y por sus propios compañero de militancia. Su rechazo del éxito fácil, su negativa a afiliarse "mafias" intelectuales y políticas, añadidos al aparente hermetism de sus textos, le valieron a este gran escritor mexicano ese deliberad descuido. El incremento en la lectura de su obra, en los Estado Unidos, coincide con su encarcelamiento en el "Palacio Negro" d Lecumberri por su participación en el movimiento estudiantil de 1968 Aunque en los últimos años su obra ha comenzado a recibir la aten ción que un escritor de su mérito justamente merece, esa atenció no ha sido todo lo efectiva que sería de desear.

A la difusión de sus escritos ha contribuido la labor póstum de rescate y recopilación, de ensayos, artículos dispersos e inédito apuntes, esbozos y fragmentos de prosa literaria, realizada esmerada mente por Andrea Revueltas y Philippe Cheron. El resultado ha sid altamente fructífero ya que a la fecha llevan publicados 23 volúmene de las *Obras completas*.

Pródigo por naturaleza, José Revueltas se entrega a sus lectores no vacila en discutir sus claves, sus afinidades y diferencias. En di versas ocasiones, a través de entrevistas, prólogos, ensayos y otro escritos desbroza una a una su preocupaciones, su problemática, éstas se traducen en temas reiterados en su ficción.

Sus desvelos metafísicos y ontológicos pueden equipararse en cierto modo a los de José Gorostiza en su poema consagrado *Muerte sin fin*.[2] Revueltas comparte con el poeta muchas preocupaciones tales como la vida y la muerte, el hombre, la soledad, el tiempo, el lenguaje, la concepción de Dios, el escepticismo. En la obra de ambos puede observarse el uso común de ciertos motivos: la petrificación de objetos y sensaciones, el estatismo del tiempo, la aparición del ojo siniestro. De la misma manera los dos escritores comparten marcadas afinidades estilísticas: juegos de palabras, antítesis, ironía, paradoja, imágenes violentas, metáforas, uso de sinestesias y prosopopeya. Tanto Gorostiza como Revueltas prologan su propia obra ofreciendo una luz tan necesaria para su comprensión. En sus "Notas sobre poesía" Gorostiza afirma:

> ...el hombre de hoy apiñado a centenares de miles, a millones, en la estrechez de las grandes ciudades ya no es como el hombre de otros tiempos... Prisionero de un cuarto, ahito de silencio y hambriento de comunicación, se ha convertido —hombre isla— en una soledad rodeada de gente por todas partes.[3]

El personaje revueltiano habita en su "cuarto-tumba" y sigue su propio derrotero, "cada uno desde su respectiva soledad, desde su nave, desde su aislamiento soberano".[4] Para Gorostiza la salvación reside en la poesía que en última instancia también perece; para Revueltas, en la capacidad del hombre de dar un sentido a su vida a través de la concientización y la praxis política. Octavio Paz apunta que en el concepto de Gorostiza, Dios se presenta como reflejo del hombre, no como creador, y por lo tanto el razonamiento lleva implícita su negación: Dios está a la altura del hombre y tan desvalido como él y se destruye a sí mismo. Gorostiza lo considera responsable de los numerosos males que aquejan a la humanidad, "odios purulentos", "rencores zánganos", "angustias secas", "piensa el temor, la úlcera y el chancro" y al tomar de la mano a la criatura "la es-

---

[2] J. Gorostiza. *Poesía* (México: Fondo de Cultura Económica, 1964).
[3] *Ibid.* p. 22.
[4] José Revueltas. "Textos, notas, apuntes, observaciones (1945-1964)" *Revista de Bellas Artes* (México) no. 17 (septiembre-octubre, 1967) p. 6.

trecha enternecido con los brazos glaciales de la fiebre".[5] Según Revueltas, también, Dios es una creación del hombre, siempre ha estado
en la tierra, inerme como él.[6] De ahí su dualidad; unos blanden
su nombre para diseminar el odio y la violencia, otros sufren, como
él, martirio y crucifixión.

Una distinción fundamental entre los dos escritores es la postura
vital de José Revueltas, inserto totalmente en la militancia política,
la cual está ausente en el caso de José Gorostiza.

En las dos novelas elegidas Revueltas recurre a procedimientos
míticos. En los capítulos II y III se explora el mito del héroe que
es la estructura subyacente en *Los días terrenales* y *El luto humano*
y su correspondiente simbolismo, siendo el arquetipo de la *Magna
Mater* el símbolo fundamental de esta última novela. Su labor des-
mitificadora —la destrucción del mito del Paraíso comunista, de la
Conquista, del mito de la Revolución Mexicana— es un intento muy
valioso para elucidar la realidad nacional, índice del profundo compromiso del autor con su época y su realidad histórica.

En *El luto humano* aplicamos los principios teóricos elaborados
por Northrop Frye, crítico canadiense, para una interpretación de
mitos, símbolos, ritual y arquetipos en literatura. Parte de la nomen-
clatura utilizada procede de su obra *Anatomy of Criticism,* y sus
ideas iluminan el complejo y caótico mundo revueltiano.[7] Igualmente
ha sido de fundamental importancia la obra del chileno Juan Villegas, quien atribuye una gran importancia al papel del mito en el
terreno de la literatura.[8] Conocedor de las restricciones que acarrea
este enfoque, advierte la carencia de precisión en la terminología que
existe y el uso de conceptos y vocablos prestados de otras disciplinas.

También se acude reiteradamente a la perspectiva de pensadores
como Mircea Eliade, Carl G. Jung y Eric Neumann, cuya influencia

[5] *Op. cit.* pp. 115-116.

[6] Véase la declaración hecha a Gustavo Sáinz, "La última entrevista con
Revueltas", *Conversaciones con José Revueltas,* (Xalapa: Universidad Veracruzana, 1977).

[7] (New York: Atheneum, 1966).

[8] Se usa la definición del mito en su sentido desacralizado tal como lo
entienden Northrop Frye y Roland Barthes y que sintetizada en palabras
de Juan Villegas —en un sentido muy amplio: literario y político— es "un
modo de concebir la relación del hombre con el mundo", *La estructura mítica del héroe en la novela del siglo XX* (Madrid: Planeta, 1973), p. 51.

en el contexto mítico y psicoanalítico, tiene repercusiones legítimas en el campo literario.

Así se concluye que José Revueltas se vale de la mitopoesis (la mitificación, la desmitificación y los arquetipos) para revelar las contradicciones del hombre contemporáneo, su enajenación y su carencia de libertad y al mismo tiempo mediante estos mismos recursos reestablece nuevos cánones éticos y reafirma con humana pasión su *Weltanschauung.*

CAPÍTULO II

LOS DÍAS TERRENALES

El concepto del héroe

En una época antiheroica como la que atravesamos, ¿es acaso pertinente hablar del concepto del héroe en literatura? El tema es de apasionante actualidad. Así vemos surgir un interés cada vez más creciente tanto de parte de los propios novelistas, preocupados por la decadencia de las categorías morales y la enajenación del hombre en el universo, como de la crítica atenta a dilucidar los mensajes que aquéllos tienen que ofrecer. Cabe observar la opinión de algunos estudiosos en varias disciplinas y lo que han expresado con respecto a la existencia del héroe.

Para que se produzca el héroe es necesario que fructifique un clima de efervescencia; las sociedades sólidas, institucionalizadas, no producen más que antihéroes nos dice un crítico coetáneo.[1] Günter Grass comenta que en muchos casos se prefiere hablar de la masa solitaria y negar al héroe, porque la soledad individual y el individualismo hoy en día son vistos como obsoletos.[2]

El escritor irlandés Sean O'Faolain, después de analizar las obras de seis destacados novelistas modernos, teme que la presencia del héroe en la literatura sea virtualmente nula y lamenta que se encuentre destinado a desaparecer en una sociedad que se ha hecho vacilante e insegura.[3]

---

[1] Anthony Burgess, *The Novel Now* (New York: Pegasus, 1970), p. 140.
[2] *The Tin Drum* (New York: Vintage, 1964), p. 17.
[3] *The Vanishing Hero* (London: Eyre and Spottiswoode, 1956), p. 30.

Con gran optimismo, Victor Brombert afirma que el héroe está más presente que nunca en la producción literaria de hoy, a pesar de aparecer convertido en un Chaplin, en el teatro del absurdo y en muchas novelas actuales.[4]

Para Edith Kern resulta incomprensible que algunos críticos todavía insistan enfáticamente en la desaparición o decadencia del héroe en el panorama literario. Acaba convenciendo al lector que el héroe, como el ave fénix, se enseñorea, sin lugar a dudas, en la literatura del siglo xx. Tal vez sería mejor, en su concepto, prescindir del todo del significado que la voz adquirió en el Renacimiento y adjudicarle un nuevo contenido. "We have learned that the Greek hero is but another facet of that universal hero with a thousand faces, who is to be found not only in all mythologies and folk tales, but symbolically, within the psyche of man itself." [5]

De los estudios dedicados al héroe en la literatura moderna tres de ellos son en extremo valiosos para la exégesis literaria. La obra de Joseph Campbell, aunque no dentro del terreno propiamente literario, puesto que pertenece al campo de la antropología y el psicoanálisis, constituye una de las fuentes más conocidas, y es aplicada con frecuencia a la novela.[6] El analista junguiano Eric Neumann, por su parte, ofrece una fascinante interpretación del desarrollo de la conciencia del individuo y de la humanidad, en relación a los grandes mitos universales y, en particular, al héroe mítico.[7]

El estudio más reciente, *La estructura mítica del héroe,* de Juan Villegas, resulta muy útil al investigador de la literatura porque va dirigida específicamente al análisis de la obra literaria.[8] Villegas ade-

---

[4] "The problem of the 'hero' is still very much with us. The heroic age is gone, and the unheroic hero of our times grimaces, self-conscious and despondent. Yet so long as man projects an image of himself in myth and art, so long as he somehow tries to justify this image or to deplore it, the notion of the hero is certain to stay alive. This is not merely a matter of nostalgia. The very concept of man is bound up with that of the hero." Victor Brombert, ed., *The Hero in Literature* (New York: Fawcett, 1969), p. 11.

[5] Edith Kern, "The Modern Hero: Phoenix or Ashes," in *The Hero in Literature,* pp. 276-77.

[6] Joseph. Campbell, *El héroe de las mil caras,* trad. de Luisa Josefina Hernández (México: Fondo de Cultura Económica, 1959).

[7] *The Origins and History of Consciousness,* trans. by R. F. C. Hull. Bollingen Series XLII (Princeton: Princeton University Press, 1971).

[8] *Op. cit.*

más de proponer un sistema metodológico, ofrece una lúcida perspectiva que tiende a integrar la presencia del mito con la función que éste desempeña en el contexto de la obra, desde un punto de vista estructural. Siguiendo los pasos de Campbell, distingue tres etapas en la ruta heroica: separación, iniciación y triunfo o fracaso del iniciado. Villegas, sin embargo, modifica el llamado "retorno del héroe" en el esquema campbelliano, puesto que el mundo abandonado, en la novela moderna, es por lo general un mundo negativo, la reintegración del héroe a la sociedad denotaría más bien el fracaso de éste. Por otra parte, demuestra un interés que no se toma en cuenta en la obra de Campbell y es la importancia que los mitemas adquieren en la novela como portadores de un mensaje ideológico.

Otros aspectos que nos parecen dignos de ser mencionados en la obra de Juan Villegas, es que el autor enriquece la aventura con la incorporación de los ritos iniciáticos, cuya relación con el mito es innegable, y la distinción notable de Campbell es que Villegas enfoca al héroe desde un punto de vista individual, considera "la iniciación del individuo como maduración personal válida sólo para sí mismo". Villegas, como Kern, estima que el concepto del héroe es dinámico y mutable, por lo tanto hay que tener en cuenta su historicidad.

Este capítulo es un análisis de Gregorio Saldívar, protagonista de la tercera novela de José Revueltas, *Los días terrenales,* quien encarna el sistema de valores postulados como deseables por el autor; su vida refleja, de una manera inequívoca, los mitemas fundamentales que conforman el mito del héroe; y el engranaje de su jornada mítica constituye el núcleo temático y estructurador de la obra.

"Los días terrenales"

Desde su aparición en 1949 la novela causó acalorada controversia por su acrimoniosa crítica al sistema comunista mexicano y por la gran desilusión ideológica que el libro encierra. El autor mismo nos cuenta cómo se le vino encima una avalancha de furiosos ataques por parte de la izquierda.[9] La crítica, sancionada en un principio por el propio autor, tachó repetidamente esta novela de nihilista.[10]

[9] José Revueltas, *Obra literaria,* I, (México: Empresas Editoriales, 1967) pp. 9, 10 y 11. Entre las pocas opiniones favorables se cuentan la de

Los días terrenales es la manifestación literaria más vigorosa de esta actitud de impugnación política de José Revueltas y Gregorio Saldívar —personaje autobiográfico— es el producto de su praxis.[11] Gregorio representa cabalmente esa búsqueda de la que habla Octavio Paz:

> "...tentativa por crear una sociedad en donde no imperen ya la mentira, la mala fe, el disimulo, la avidez sin escrúpulos, la violencia y la simulación... Una sociedad humana. Si nos arrancamos esas máscaras, si nos abrimos... Nos aguardan una desnudez y un desamparo. Allí, en la soledad abierta, nos espera también la trascendencia..."[12]

Gregorio se revela como el individuo que escoge el camino más esforzado; remontándose hasta la memoria arquetípica colectiva de la humanidad le es dado contemplar frente a frente el mal y recobrar

Mauricio Magdaleno, "Algo acerca de *Los días terrenales*", *El Universal* 25 de octubre de 1949; la de Rosario Castellanos, "La novela mexicana contemporánea", *Juicios Sumarios* (México: Universidad Veracruzana, 1966) pp. 101-02; la de Antonio Mediz Bolio, "*Los días terrenales* de José Revueltas", *El Nacional*, mayo 6, 1950.

[10] Revueltas tiene una entrevista con Mauricio de la Selva, por aquel entonces de la misma filiación política. Escrita en 1956, no es publicada hasta 1964. En ella explica que *Los días terrenales* juzga al hombre valiéndose de la misma medida con que se juzgan a los demás fenómenos de la naturaleza, es decir, como si el hombre fuera una entidad inconsciente. Aquí radica el error básico, mecanicista, que me hizo caer de lleno en una filosofía reaccionaria y pintar un mundo falso moral y físicamente..." (p. 117). En este mismo artículo también asienta que en el escritor como en cualquier otro hombre hay: "...algo más que el oficio y lo hace comprender que su tarea es el hombre... Para mí el escritor es ante todo un hecho moral, un problema de ética y no de estética... donde su conciencia de ser humano, su responsabilidad de ser humano consciente, lo es todo" (p. 115). "José Revueltas" en *Diálogos con América* (México: Cuadernos Americanos, 1964), pp. 111-17. En carta fechada en agosto de 1962 a L. M. Schneider, el autor reconsidera su posición anterior y declara: "Me inclino por considerar *Los días terrenales* como la más madura de mis novelas". "Después de 12 años revive la polémica sobre la obra de José Revueltas", *El Gallo Ilustrado*, No. 11 (9 de septiembre de 1962), p. 2.

[11] En entrevista con Adolfo Ortega el escritor admite que sus protagonistas Gregorio Saldívar, Eladio Pintos, Jacobo Ponce y Olegario Chávez "son el autor mismo en varias situaciones inventadas y recreadas", "El realismo y el progreso de la literatura mexicana, 1977", *Conversaciones con José Revueltas*, p. 51.

[12] *El laberinto de la soledad*, (México: Cuadernos Americanos, 1947) pp. 191-192.

la dignidad del linaje humano. Sólo conquistando el mundo de las sombras —el héroe desciende hasta las más oscuras profundidades del inconsciente para asimilar este lado tenebroso de la personalidad— se puede llegar a la integración cabal de la psique.[13]

El interés de la obra reside también en la visión de un mundo degradado que se enmascara con un velo mitificante. Esto se logra mediante el empleo de ciertos recursos. El más obvio es el uso de frecuentes alusiones a diversos mitos estableciendo analogías y paralelismos, convirtiendo el mundo cotidiano de la novela en un mundo sobrenatural.

La novela consta de nueve capítulos que se ordenan en la siguiente secuencia: el primero, cuarto, octavo y noveno tratan de las andanzas y el vía crucis de Gregorio Saldívar; el segundo, tercero y sexto introducen la vida personal y los pensamientos de Fidel Serrano, superior inmediato de Gregorio, y de otros miembros de la organización y se establece el lazo entre las actividades de Gregorio y el Partido. En el quinto, mediante el proceso monologante de Fidel, se relata su encuentro accidental con Gregorio, que conduce a la incorporación de éste al Partido Comunista. El séptimo plasma la atmósfera del mundo abyecto de los Ramos, su conexión con el Partido y la reprobación y condena de Gregorio.

Así el lector conoce primero a Gregorio y sus tribulaciones, después a Fidel, Julia, y los otros camaradas, y los capítulos brincan del protagonista a los otros personajes hasta finalizar la odisea de Gre-

---

[13] Este problema es planteado por estudiosos como Gerhard Adler quien informa:

> This can lead to a conflict with collective values: the decisive ethical authority no longer rests with collective values of good and evil and with a conventional "conscience" but with *an inner "Voice"* —*a constant challenge to individual decision and responsibility, even where may lead to a rejection of collective morality.*
>
> It is a radical ethic, based on *the most stringent demand for individual choice and courage.* It involves a continuous confrontation of man with the problem of good and evil arising from the honest acceptance of human totality —the totality of the individual and the totality of mankind. (Foreword to Erich Neumann's *Depth Psychology and a New Ethic* [New York: G. P. Putnam's Sons, 1969], pp. 8-9.) (Subrayados nuestros).

gorio. El hilo central es el de la aventura del héroe, este mito se
constituye en la médula estructural de la narración.

Revueltas introduce su obra con un epígrafe tomado de Jean
Rostand: "...hay una cierta lógica que cada uno debe dar a su
destino. Yo soporto solamente la desesperanza del espíritu..."[14] Éste
es el mensaje que Gregorio representa cabalmente, con la salvedad de
que Fidel —antihéroe que clama asimismo el privilegio de ejercer
su propia selección de este "Destino"—, y él se dirigen por caminos
contrarios. Los sucesos inquietantes que tuvieron lugar en la época
anterior a la fecha en que la novela fue escrita —los Procesos de
Moscú, el holocausto judío, la hecatombe de Hiroshima, etc.— de-
mostraban que el hombre había reactivado el lado negativo de su
personalidad.[15]

El avance de la tecnología, la mecanización de la vida, la mengua
de la religión cristiana y de los ideales democráticos han dejado su
huella en el hombre contemporáneo. La carencia de un significado
vital es el síndrome más generalizado de la alienación que embarga
al hombre de nuestro tiempo. Revueltas destaca la condición de este
hombre confrontado con el dilema de aceptar la vida tal como es
y vivirla auténtica, valientemente, o fabricarse toda clase de falacias y
asideros, "absolutos" los llama Gregorio, para obtener una efímera

[14] Escritor y biólogo francés que recibió el premio literario Ciudad de
París en 1952; es autor de *La aventura humana* y otros varios libros. Ha
llevado a cabo estudios sobre la partenogénesis, que parecen haber sido leídos
por Revueltas.

[15] En la entrevista con Mauricio de la Selva sobre esta obra, Revueltas
indica su preocupación con el estado del mundo "Con los nazis había vuelto
a resurgir el hombre zoológico en todas sus proporciones". "José Revueltas",
Diálogos con América, p. 113. Este punto es formulado nuevamente por el
propio autor: "Me considero inserto en una literatura cuya actitud intenta
despejar lo insólito de la realidad, en las relaciones negativas de ésta con
el hombre... Una literatura que actúa pues, con la dialéctica de la conciencia, como expresión crítica de la enajenación de la realidad y de toda
realidad enajenada... Esta literatura no puede hacerse a sí misma de ningún
otro modo que en esta relación crítica *con* y *de* la negatividad del mundo
contemporáneo...", Roberto Crespi, "Diálogo con José Revueltas", *Mundo
Nuevo*, Nos. 57 y 58 (marzo-abril, 1971), p. 56. El autor también manifiesta: "I am a completely desperate being, totally shipwrecked in a world
whose articulations I no longer understand. Not because I am good in an
evil world, but because we are all evil in an evil world." Agustín Gurza,
"José Revueltas: Mexico's Most Wanted Writer," *La Voz del Pueblo*, Hay-
ward, Calif., 3, No. 5 (junio de 1972), 5.

y hueca felicidad.[16] Ésta es la disyuntiva a la que se enfrenta el héroe, Gregorio Saldívar.

Dimensión mítica y ritual del microcosmos novelístico y su subsecuente desmitificación

Como su novela anterior, *El luto humano*, *Los días terrenales* rebasa los confines geográficos para adquirir proporciones cósmicas. La novela trasciende la realidad inmediata y se finca en el terreno del mito. La recreación de la cosmogonía cristiana, el carácter ceremonial de una sociedad atávica, la visión distorsionada y grotesca de diversos personajes identificados con egregias figuras mitológicas e históricas, logran crear la falsa visión de un cosmos sagrado. Esta trasmutación del mundo tiene por objeto hacer más evidente la deshumanización, hipocresía, envilecimiento de estos sectores humanos. Simultáneamente, en un proceso dual, surge también la realidad palpable, la de los indios ignorantes, supersticiosos, dominados por la codicia, el mundo acomodaticio de la clase adinerada, burguesa, y la mezquindad y estulticia de los dirigentes comunistas. La crítica alcanza a varios niveles sociales y a los valores propuestos por una sociedad que ha sido moldeada por una de las revoluciones más discutidas del siglo xx.[17]

Los días terrenales es el mundo del Génesis. Esta simultaneidad de tiempos se da sin una disrupción de la realidad. La situación que emerge del caos es la distinción entre la luz y las tinieblas, la vida y la muerte, el bien y el mal. Esta contraposición de los opuestos en la estructura cósmica sugiere por otra parte la existencia de valores morales. En este nivel representa la dicotomía del hombre y el cos-

---

[16] Las "situaciones-límite de las que nos habla Karl Jaspers coinciden con las situaciones extremas revueltianas, de las que dice F. H. Heineman: "They arise because in this world... there is nothing stable, nothing absolute, but everything in constant change, finite and split into opposites. The Whole, the Absolute and the Essential cannot be found in it. Instead, we experience a shattering of our existence in situations of absolute chance, conflict, suffering, guilt and death. They either throw us into despair, or they awake us to an authentic choice of ourselves and of our destiny." *Existentialism and the Modern Predicament* (London: Adam and Charles Black, 1953), p. 60.

mos. Psicoanalíticamente la proyección mitológica del origen de la conciencia y del ego en el individuo toma la forma del mito cosmogónico del Génesis, interpretación que tiene cabida en la realidad novelística de *Los días terrenales*.[18]

La cualidad primordial con que se tropieza el lector en el umbral de la obra es precisamente la del acto cósmico y con Gregorio como parte de esta atmósfera. En este momento Gregorio medita sobre la escena que contempla y su significado siniestro. Más tarde, cuando se descubre el cadáver de su enemigo Macario Mendoza, Gregorio evoca esta misma condición y el caos y las tinieblas lo envuelven de nuevo. Su temor es que la luz no avance y las tinieblas se conviertan en una "noche eterna".[19] El caos se hace patente una vez más en los momentos fatídicos de su agonía final. Este retroceso al estado original de caos es señal inequívoca de un rechazo de los valores imperantes; un deseo de abolir la realidad, hacer tabla rasa de todo lo establecido, lo que presupone a la vez, la existencia de un personaje mesiánico que represente los valores positivos o anhelados.

Contribuye al falso proceso mitificante la recreación de la escena de los pescadores desnudos, imagen del hombre primordial, indios

---

[17] Estamos en desacuerdo con J. Ruffinelli. *José Revueltas, ficción, política y verdad* (Xalapa: Universidad Veracruzana, 1977), quien afirma que en *Los días terrenales* la crítica se concentra en un individuo [Fidel] vis à vis *Los errores* en que se dirige a todo un partido.

[18] Según Neumann, "The dawn state of the beginning projects itself mythologically in cosmic form, appearing as the beginning of the world, as the mythology of creation. Mythological accounts of the beginning must invariably begin with the outside world, for world and psyche are still one . . . Ernst Cassirer has shown how, in all peoples and in all religions, creation appears as the creation of light. Thus the coming of consciousness, manifesting itself as light in contrast to the darkness of the unconscious, is the real 'object' of creation mythology. Cassirer has likewise shown that in the different stages of mythological consciousness the first thing to be discovered i subjective reality, the formation of the ego and individuality." Erich Neumann hace referencia al libro: *The Philosophy of Symbolic Forms*, trans. Ralph Manheim, Il: *Mythical Thought* (New Haven: Yale University Press, n. d.) 94 ff., en su obra *The Origins*, p. 6. Mauricio Magdaleno, por su parte asienta que el primer capítulo es magistral y en él Revueltas describe e "Pavor primordial de México en lucha por surgir de su tiniebla". "Algo acerca de *Los días terrenales*", *El Universal*, 25 de octubre de 1949.

[19] Todas las citas referentes a la obra de José Revueltas corresponden a su *Obra literaria*, I.

popolocas del estado de Puebla.[20] Lo que confirma esta interpretación, pues es precisamente en estas sociedades tribales donde se mantiene un contacto vivo con el ritual y el mito. La pesca y las labores
agrícolas son las tareas más antiguas a las que se ha dedicado el
hombre. La pesca lleva en sí un hálito mágico, según los estudios
antropológicos, y al mismo tiempo místico en el simbolismo cristiano.
La situación revivifica este ceremonial, los peces son el "maná del
río". Las repetidas alusiones a "la multiplicación de los peces" y
a Gregorio como el designado, por su respetado sentido de justicia,
para ejecutar la distribución, tiene deliberados tonos bíblicos. Las
mujeres semidesnudas se yerguen hieráticas "como diosas" y Ventura
el cacique indio quien "Era un dios, tenía la voz de dios", emerge
como la imagen del propio Moisés:

> ...habría sido el único, el elegido entre todos por la Divinidad
> para traducir el cabalístico mensaje con el que la Muerte o los ante-
> pasados muertos indicaban a sus hijos la presencia de algo profundo
> y extraño, y que sólo era posible conocer por intermedio del hombre a
> quien el don de una conciencia doble otorgada por el Más Allá per-
> mitiese la percepción de la segunda realidad, de la desconocida reali-
> dad interior de las cosas. (p. 397).

El conocimiento previo que tiene del asesinato de Macario:

> tuvo la virtud de fortificar el lazo que unía a Ventura con esa grey
> siempre en trance de sentirse huérfana y sin dioses, pero a la que,
> cuando alguno de estos dioses le era devuelto en la figura de su trans-
> migración terrestre de patriarca, de caudillo, de sacerdote, parecía
> reconfortársele otra vez con la seguridad de su destino. (p. 397).[21]

[20] Según el *Diccionario general de americanismos* de don Francisco J.
Santamaría (México: Robredo, 1942), II, 512-15: Uno de los significados
del vocablo popoloca es el de "hombre degenerado, miserable" (512). Estos
indios pertenecen a uno de los grupos más atrasados de México; se distinguen
por el estado de barbarie en que viven, su degeneración ha sido progresiva,
al grado que por ello están condenados a la extinción. La religión católica
está vista al tamiz de sus mitos y antiguas idolatrías. Creen en la reencar-
nación y no tienen idea de lo que es el infierno ni el Bien ni el Mal.

[21] Varios comentaristas, entre ellos A. Ortega, M. Frankenthaler y Escalante han visto en Ventura sólo el aspecto mitologizado debido a esta
compleja relación, pasando por alto la subsecuente anulación del mito.

La intención irónica es evidente al lector por la desproporción entre las comparaciones y los entes comparados. El tuerto Ventura es un abigeo, un guerrillero "centella sombría, ...negra ráfaga implacable". Manco, el muñón restante cobra vida independiente "casi se diría con conciencia propia y a la vez malévolo, siniestro y lleno de actividad". Ventura es entonces "un dios mutilado, un dios derrotado, que no podía ofrecer otra cosa que la piedra de la muerte". Por su carácter *ctónico* "...taimado, sensual y cruel... no podía estar más lejos de lo que se concibe como una figura mítica o legendaria..."

El rito pertenece al ámbito del mito, imparte magia y reactualiza los actos iniciales *in illo tempore*.[22] Revueltas acude a este expediente para transformar los actos ordinarios de la vida diaria. La atmósfera que rodea al héroe se da como un gran acto religioso, ya sea en el contexto de la vida de este pueblo primitivo, como en el centro urbano de la capital.

En las orillas del Ozuluapan la actitud de los caciques a la hora del reparto de los peces es solemne, "litúrgica". Este cuadro increíble hace que Gregorio evoque en una forma elaborada y repetitiva la escena que describe El Greco en *El entierro del Conde de Orgaz*. Esta asociación es compleja y Gregorio piensa que los indios, como los personajes del cuadro, son "gentes que no piensan sino en su propio destino y en su propia salvación". Esta equivalencia de situaciones no es casual pues la comparación se extiende por varias páginas emerge otra vez cuando todos contemplan el cuerpo ahogado de Macario quien de este modo se convierte en el "fantástico conde de Orgaz". Esta analogía que establece el nexo con un personaje histórico definido, expresa vívidamente la simulación, la complicidad, la impudicia, como la califica Gregorio, de todos los allí presentes.[23]

[22] Mircea Eliade demuestra la supervivencia de los ritos en la vida profana del hombre moderno y afirma que "ciertos aspectos y funciones del pensamiento mítico son constitutivos del ser humano". *Mito y realidad* (Madrid: Guadarrama, 1968) pp. 24 y 200.
[23] Gregorio se mofa de la interpretación de su antiguo maestro de pintura en la Academia para quien el alargamiento de las figuras representaba " 'la elevación del espíritu humano hacia Dios... la honda renuncia a las cosas mortales que se adivina en sus expresiones'. Astigmatismo de Dios. Distorsión del hombre hacia la nada" (p. 350). Este impulso de crecer, atribuido a la codicia, resulta obsceno para Gregorio. Por esto no estamos de

La postura devota de las mujeres frente al cadáver contribuye al "conjunto de ritos de masoquista religiosidad".

Un modo de conferir aliento mágico a la ciudad misma es mediante la descripción de su carácter ambivalente, tal y como la viven Bautista y Rosendo era:

> ...el contorno no ya de la ciudad moderna y cosmopolita, sino el de un México primitivo, ignorado y profundo, tal vez la Tenochtitlán prehispánica, prefigurada y vuelta a nacer... casi en virtud de cierta matempsicosis hacia atrás, hacia siglos lejanos... pues la geografía nocturna de la ciudad de México trastoca, subvierte los puntos cardinales, y al mezclar el pan y el vino del tiempo y el espacio se transustancia en una unidad extraña que hace posible la convivencia de sucesos ocurridos hace cuatro siglos con cosas existentes hoy; piedras que ya existían en el año de Ce Acatl con campanas y fábricas y estaciones y ferrocarriles... eran también el rumor de los antiguos tianguis, el canto de los sacerdotes en los sacrificios y el patético batir de remotos teponaxtles. (pp. 380 y 381).

La mansión misma del Arquitecto Ramos sufre una transmutación similar. En su escritorio descansa una figura del dios Xochipilli, "ahora condenado a que consumaran ante él, en la forma más incruenta, no los antiguos ritos de dolor y de sangre, sino tan sólo ese sacrificio de cenizas que era decapitar de su fuego a los cigarrillos", índice del carácter desacralizado de la vida. En el centro de la habitación una mesa en forma de cisne, se asocia con Zeus, seductor de Leda, lo cual posiblemente sugiere la actitud posterior de Ramos con su esposa Virginia o la de Virginia tratando de seducir a Fidel.

Jorge Ramos, crítico de arte, detiene los ojos en una revista de principios de siglo. Un modelo de los primeros automóviles lo lleva a compararlo con "la primer ave ...el arqueopterix azoico". Su cuarto de estudio es su "Olimpo", en él se comporta "como un dios escondido, como un espía de la Divinidad". Desde allí puede contemplar la vida que se desenvuelve a su alrededor, pues goza de una "omnividencia mágica e impune". Piensa en sus relaciones con

acuerdo con A. Ortega quien lo interpreta como expresión de "un sentimiento místico" ("The Social Novel of José Revueltas." Ph. D. diss. University of Southern California, 1971.) p. 96.

Luisa, su amante, con la que comparte un lenguaje común de argucias, dentro de una "liturgia que tal deseo precisaba para consumarse". La noche de su entrega mutua "aquello había sido como en el principio del mundo, igual que en Adán y Eva". Contemplando el paisaje de techos y azoteas, descubre desde su mirador a una pareja de jóvenes. Posiblemente las dos "fuesen tan sólo una ficción urdida por los dioses". La pareja se adentra aparentemente en la cualidad etérea del mito:

> Caminaron algunos pasos cual si reconocieran por primera vez al mundo y sus objetos, dándoles nombre, esto es nube, esto es pájaro, esto es cielo... se advertía que esto era para ellas algo sagradamente ritual, a lo que rodeaban de ceremonias inaprehensibles... cual si considerasen, con miedo y devoción, en qué punto estaba el sitio más noble y digno para consumar el holocausto. (pp. 469-70).

Jorge Ramos en cuanto a testigo de la escena, frente al acto cosmogónico, reitera su calidad de "dios anhelante y dichoso. Sus sentidos rodeaban a las dos muchachas sin ellas apercibirse, creándolas de nuevo, edificándolas como renovadas vírgenes sobre el casto territorio de un reencontrado paraíso terrenal". Una de las jóvenes danza cantando alegemente como una ninfa hasta que una orden, que viene "desde el infierno" la detiene en seco. Ramos, en quien el espectáculo ha despertado toda clase de deseos morbosos, sorprende a su mujer a sus espaldas. Ambos "espías de la divinidad". La sospecha de que su mujer, bajo una apariencia de falsa dignidad, esconde una personalidad cínica y ficticia lo enardece con un "deseo zoológico" y Virginia es entonces una "yegua ardiente", "un verdadero centauro femenino", sus zapatos simulan "elegantes pezuñas". La vieja que descubre y persigue a las jóvenes lesbianas es "El Ángel Vengador que había descendido del cielo con su flamígera espada" y el acto que culmina en el suicidio de una de las jóvenes se califica de "la matanza de los inocentes". La contemplación de la escena lleva a la pareja a un juego hipócrita de enfermiza y frustrada pasión.

Horas más tarde Fidel abochornado doblemente por el conflicto con Julia, su mujer, que ha debido discutir públicamente en la asamblea y su incidente humillante con Virginia Ramos, se siente fascinado repelido con una consola en forma de fauno en la sala de los amos: "El pequeño fauno sucio, con sus obscenas extremidades peludas y sus lujuriosas pupilas de rata".

La reunión de los comunistas sigue el "ritual" acostumbrado, mientras rinde su informe el jefe del Partido, quien lleva la indumentaria del político barato, "no obstante, su apariencia no era ridícula, no, por el contrario, digna y severa. La dignidad de un Kan de la India", informa el narrador.

El elaborado andamiaje seudomítico se desploma ante la cáustica sátira que se percibe en la realidad subyacente. Las jóvenes que tan fácilmente se deslizan por la azotea no son más que unas humildes sirvientas y el "Ángel Bueno" y su espada, resulta ser una vieja hombruna y repugnante" que blande un garrote. Bordes es un personaje ridículo con su obesa figura de "sacerdote budista grueso, mofletudo". Durante su discurso, el narrador sigue la trayectoria de su pulgar con insistencia, equiparándolo a un "espolón sin articulaciones":

> Es un hecho —aquí se iniciaba el avance de la mano de Bordes que la burguesía ha traicionado—. Los dedos sueltos hacían más patentes las sacudidas (y la traición de la burguesía) ... Proposición mayor: la burguesía tiene en su poder a los campesinos (el pulgar se echa hacia atrás, increíblemente hacia atrás, como si estuviera roto, del ancho de una espátula, igual que los pulgares de esos empleados de banco a quienes se encarga la cremación de billetes y deben contar millares de millones hasta que se les deforman los dedos y el espíritu) etc... (p. 497).

Jorge Ramos, cuyas iniciales curiosamente corresponden a las del propio José Revueltas, es vocero del dilema íntimo que angustia al autor. Ramos sufre los escrúpulos del artista comprometido con una causa política cerrada. Empero Ramos no es más que un pretexto para plantear la pugna, espíritu claudicante, logra conciliar su postura estética con su ideología política manteniendo complacidos a todos: [24]

---

[24] Tanto M. Frankenthaler *José Revueltas: El solitario solidario* (Miami: Ediciones Universal, 1979), como J. Ruffinelli, *op. cit.,* dan un gran énfasis a las ideas del Arq. Ramos, especialmente Ruffinelli opina que Ramos no transige, ni hace concesiones con su libertad de expresión.

El hubiese deseado preservar de toda contaminación partidarista su ideas sobre el arte, pero no era nada fácil la tarea. Con frecuencia s veía en la necesidad de someterse a una cierta "razón de Estado ideológica y exaltar entonces obras sin ningún mérito pero de las que por otra parte, no era posible decir que no fueran útiles a la revolu ción... Se sentía como quien ha realizado un buen negocio; un bue negocio espiritual. La vida no era sino una cadena de transacciones.. (pp. 456-57).

A medida que se revela su personalidad, su mente compleja, va alejándose más y más de los principios éticos que distinguen a Gregorio:

Ramos tenía una disposición casi orgánica y por ello sumament eficaz para impedir que germinasen en su interior esos conflictos mo rales que en otras personas constituyen un martirio, pero sobre cuy naturaleza él tenía conceptos absolutamente sin complicaciones... si esa insensata prodigalidad infecunda de quienes pretenden vivir sól para los demás. (pp. 460-61).

Virginia —nombre mordaz— es vista como mujer-objeto. En est pareja se duplica la relación Cecilia/Úrsulo de *El luto humano* Ramos, trastornado por la lujuria, reconoce que "se había apode rado por completo de su espíritu ese fabuloso afán de posesión ab soluta y eterna... Poseerla. Poseerla a Virginia... brutalmente com un objeto que era suyo y del cual podía disponer a su antojo e cualquier momento..." Virginia, en lo que considera una vic toria, se deshace de su marido con burlona crueldad exclamando "debes comprender que yo no soy una máquina insensible, ni ur instrumento de placer... del que puedes servirte a tu capricho sin que me dejes siquiera el derecho a la reciprocidad". En la reflexiones de Ramos su mujer habla con un lenguaje "plagia do... de las sufragistas... Monstruoso, abominable sufragismo d mujer «sin prejuicios»".[25] Los valores burgueses: la estrechez de cri

[25] Muchas de las mujeres revueltianas son víctimas de una debilida de carácter que las hace caer, o están muy cerca de ello, en una promiscui dad insensata, sin la justificación del amor: Cecilia/Calixto en *El luto huma no,* Rosario/El Chato en *Los muros de agua,* Rebeca/Gregorio mismo, Ju lia/Santos Pérez y Virginia en su fallido propósito con Fidel, estas tres última figuras femeninas de *Los días terrenales.* Una explicación plausible es dad en la p. 94.

terio, su chauvinismo y el tradicionalismo conservador, prevalecen e
irrumpen por el barniz de pseudo-intelectual izquierdista que una
auténtica postura ideológica hubiera logrado modificar.

Descrita como mujer mezquina y falsa, Virginia resiente la invasión de los comunistas que vienen a ensuciarle su elegante mansión.
Goza de las morbosas caricias de su marido durante su fingido des-
mayo, y lo rechaza para enardecerlo aún más. Es sólo una mujer
frustrada, e irritada por su fracaso con Fidel; su doblez no tiene
paralelo cuando confrontada con la muerte de la criada pretende
no tener la menor noción de lo ocurrido y simula una gran consternación.

Así bajo el disfraz de dioses, ángeles, ninfas y faunos, jerarquías
tan apartadas de lo que constituye la realidad, se revela la ruindad,
la hipocresía, la verdadera faz de todos estos personajes.

La aventura del héroe mítico

Una observación detenida de las fases por las que va internán-
dose el protagonista Gregorio Saldívar lleva a identificar a algunos
de los mitemas sobresalientes de la aventura del héroe. Entre ellos
se distinguen el viaje, la experiencia de la noche, los personajes dia-
bólicos, la caída o descenso a los infiernos, el laberinto, la persecución
y el castigo.

El primer paso en la aventura mítica se caracteriza por una vida
insatisfecha, una inquietud asalta al futuro iniciado ya sea desde
el exterior en la forma de un personaje despertador o desde el interior por sus propias urgencias vitales. De cualquier modo esta etapa
no se destaca especialmente en la tayectoria que sigue Gregorio y
aparece relegada a un segundo plano.[26] En el primer capítulo Gregorio se encuentra en plena experiencia iniciática, a través de la

26 Joseph Campbell observa: "Los cambios que se llevan a cabo en la
escala del monomito desafían toda descripción. Muchas historias aíslan o au-
mentan grandemente uno a dos elementos típicos del ciclo completo . . . otros
reúnen un grupo de ciclos independientes en una sola serie . . . Caracteres o
episodios diferentes pueden fundirse o un solo elemento puede multiplicarse
y reaparecer bajo muchos cambios" *op. cit.*, p. 225.

acción retrospectiva percibe su pasado como una vivencia totalmente muerta. Antiguo estudiante de pintura en la Academia de
San Carlos, su vida estaba constituida por largos periodos dedicados
al estudio alternados con alegres borracheras, veladas, discusiones
con sus compañeros, etc... El llamado a la aventura aparece bajo
la forma de un mitin en la Plaza de Santo Domingo. Allí tiene
ocasión de escuchar las palabras de Fidel, quien se ve obligado a
escapar cuando la policía interviene violentamente. El cruce del
umbral se manifiesta en una doble dimensión: temporal, esa noche
que pasa con Fidel en el café de chinos y por las calles de México,
y espacial, en cuanto que señala el paso de su vida despreocupada de
estudiante a su nueva condición de militante comunista.

La segunda etapa es la iniciación del héroe en la ruta de peligros
y rigores que ha de afrontar y situaciones que contribuirán a su
desarrollo espiritual. Esta etapa en la ruta heroica tiene importancia
porque es a través de estas pruebas o ritos de pasaje que el aspirante
demostrará su habilidad y superioridad espiritual o fracasará en la
hazaña.[27]

Acayucan aparentemente está poblado de seres que están entron-
cados de una manera u otra con el reino del mito. La pseudosacra-
lidad de la vida anteriormente expuesta pone al descubierto una visión
de la vida en extremo negativa. Gregorio carece de un personaje
benefactor que lo proteja o lo guíe, en cambio abundan los personajes malévolos. En esta fase, Ventura es el personaje que encarna
con más vigor las peculiaridades maléficas que amenazan al iniciado.
Aparece, a los ojos de todos los indios, investido de una falsa aureola
de "ídolo secular" dotado de poderes sobrenaturales, de una doble
visión profética y adivinatoria. Su ojo de "cíclope" revela a Gregorio
en un segundo de iluminación su verdadera esencia, que fijo sobre
él "pareció bañarlo por dentro con un líquido corrosivo". Personaje

---

[27] "The hero initially personifies the hardihood to undergo most dif-
ficult rites of passage, of initiation into phases equated with the mysterious
and frightening unknoyn; the discipline of most arduous labors; the ability
to survive both the symbolical night and winter, through possessing the for-
titude to confront their inevitable rigors. Yet, whatever power is thus attained,
there must be development beyond the necessity either to depend upon it,
or even willfully to utilize it, once it is *within*." Dorothy Norman, *The Hero:
Myth/Image/Symbol* (New York: The World Publishing Co., 1969), pp. 4, 5.

niestro "parecía obedecer... a un congénito y espeso sentido de
a negación".

Al periodo iniciático de Gregorio corresponde lo que Jung ha
denominado el proceso de individuación, o sea, un proceso de dife-
enciación, cuyo fin es el desarrollo psicológico desde el punto de
ista individual.[28] La individuación es pues la secuencia en el desarro-
lo de la conciencia desde su estado original primordial, su ruptura
con la *participacion mystique* preponderante en la mentalidad primitiva, y un enriquecimiento de la esfera psicológica consciente.

Gregorio emprende un viaje que predominantemente se realiza
en el interior de la psique, que va desde el Génesis hasta el Apoca-
psis.[29] El mitema del viaje se realiza de dos maneras, como un gran
viaje que abarca la totalidad de su experiencia y como un viaje a
las regiones infernales que lo conduce, en el último capítulo, a los
tenebrosos laberintos del subconsciente y a su derrota final.

El viaje asimismo está íntimamente ligado a las experiencias ini-
áticas:

> ...The true Journey is neither acquiescence nor escape —it is
> evolution. Guénon has suggested that ordeals of initiation frequently
> take the form of "symbolic journalic representing a quest that starts
> in the darkness of the profane world (or of the unconscious— the
> mother) and gropes toward the light. Such ordeals or trials —like
> the stages in a journey— are rites of purification.[30]

[28] C. G. Jung, *The Archetypes and the Collective Unconscious,* trans.
by R. F. Hull. Bollingen Series XX. *Collected Works,* IX, Part 1 (Princeton:
Princeton University Press, 1967), 275-89. En la segunda mitad de la vida,
en la época de madurez, es cuando ocurre un cambio de personalidad:
"...there is in the ego a growing awareness of centroverison. The individuation process may then be initiated, resulting in the constellation of the self
as the psychic center of wholeness, which no longer acts only unconsciously
but is consciously experienced" (Neumann, *The Origins,* p. 398).

[29] "In dreams and myths, as well as in parable and allegory, man's inner
life and the process of his inner development is almost constantly represented as a journey, a progress from one stage to the next. On the way persons
and adventures are encountered and a goal is envisioned which may or
may not be reached..." Mary Esther Harding, *Journey Into Self* (New
York: Longmans, Green, 1956), p. 4.

[30] J. E. Cirlot, *Dictionary of Symbols,* trans. by Jack Sage (New York:
Philosophical Library, 1962), pp. 157-58.

Esta conexión es señalada también por Harding quien identifica el viaje como uno de los ritos de iniciación que tiene su expresión en muchas religiones.[31]

Gregorio efectúa un movimiento retrógrado en Acayucan, a las orillas de la laguna de Catemaco, y deviene contemporáneo de Génesis. Los mitemas del encuentro, la caída y la experiencia de la noche se presentan interdependientes uno del otro, pero la aventura de la noche adquiere mayor ascendencia sobre los otros. La importancia de este mitema radica no tanto en su singularidad empírica sino más bien por la trascendencia que, en su aspecto transformativo y revelador, llega a ejercer sobre Gregorio. Irónicamente la vida adoptada está teñida de atributos adversos que atestiguan una degradación en el nivel personal y en el colectivo.

"La noche era tremendamente nocturna... de pronto abrigaba cosas monstruosamente humanas". La noche en su aspecto uro-bórico, devorador, aparece con su "extensa y profunda dimensión de curvo abrigo prenatal, de negro vientre sobre el hemisferio".[32] El símbolo pimordial del inconsciente preside el episodio de la aventura nocturna. Es la fase en que el ego individual, vacilante todavía, comienza su tarea de reconocimiento y discriminación como entidad autónoma, el fantasma urobórico del inconsciente se manifiesta como la madre que destruye, la noche de tinieblas profundas. Los motivos predominantes son la impotencia y el aislamiento. Esta es la situación sofocante que amenaza absorber a Gregorio:

> Sentía en la epidermis, como una herida, el contacto de la violenta, de la lambrienta alegría animal de todos ellos... experimentaba dolor físico... ya un poco enfermo de ese virus en medio de aquellas gentes cuya naturaleza inexorable y primitiva se imponía sobre el espíritu tan invasoramente como la selva virgen. (p. 341).

[31] *Journey,* pp. 5 y 8. La autora añade y aclara que estas experiencias aunque son de carácter exclusivamente individual se conforman notablemente a los incidentes que se encuentran en el ritual y el mito.

[32] "The uroboros appears as the round 'container' i. e., the maternal womb... Hence 'round' of mythology is also called the womb and ute-rus... Anything big and embracing which contains, surrounds, enwraps, shelters, preserves, and nourishes anything small belongs to the primordial matriarchal realm... Compared with this maternal uroboros, human consciousness feels itself embryonic, for the ego feels fully contained in this primordial symbol" (Neumann, *The Origins,* pp. 13-14).

Gregorio lucha por liberarse de esta ola irruptora que lo embarga: "el ansioso deseo de establecerse a sí mismo y medir hacia lo hondo, su propia existencia... pero la flotante realidad que lo envolvía... lo sujetaba violentamente sin permitirle escapatoria". El protagonista se enfrenta a una batalla espiritual consigo mismo. Aunque el hombre primitivo vive dentro de la esfera del inconsciente, constituye sin embargo una entidad psíquica con un sentido religioso e integrado del cosmos. Por el contrario el lado primitivo del subhombre, u hombre-masa, subyacente en el hombre contemporáneo, se encuentra psíquicamente fragmentado. Éste vive hundido en la sima del inconsciente, es irracional, anti-individualista y destructor.[33] Este fenómeno del colectivismo del hombre-masa lo experimenta Gregorio en las orillas del Ozuluapan. Su imaginación le hace cuestionar sus sentidos:

> ... quiso preguntarse... si no estaba bajo la influencia de una hipertrofia de la sensibilidad que lo inducía a ver las cosas con ojos sobrenaturales... pero el contacto violento... de aquella masa no lo dejaba. Habían envenenado el río. Eso era todo, pero, Gregorio, dentro de sí, adivinaba en este hecho la existencia de algo más bárbaro y estúpido. Sin embargo, la masa, casi lúbrica en su afán de poseer, no lo dejaba. No lo dejaba razonar, como si la claridad de pensamiento, los caminos normales de la lógica, sucumbieran ante lo subyugador e inaudito de aquella inconsciencia bestial y única... (p. 342).

Gregorio sanciona contra su voluntad este acto criminal proveyendo el barbasco para envenenar las aguas, permitiendo violar las reglas de la Liga Campesina, y contemplando horrorizado, sin evitarlo, el impresionante espectáculo. La lucha en la que se debate el protagonista se lleva a cabo en su yo interno. Se siente parte integral de este grupo: "se daba cuenta de que todos sus puntos de

---

[33] Además de estas características Neumann añade: "This negative, unconscious part of the personality is archaic in the most negative sense, for it is the beastman at bay." Si el individuo es incapaz de establecer una relación integradora entre el ego y la sombra entonces, afirma: "consciousness is overpowered and wholly possessed by him, we get the frightful phenomenon of regression to the mass-man..." *(The Origins,* p. 439). Este aspecto inferior del hombre ha sido analizado también por C. G. Jung. *(Psychological Reflections,* Bollingen Series XXXI, selected and edited by Jolande Jacobi [New York: Pantheon Books, 1953], pp. 214-15.)

vista morales habían naufragado dentro de esa atmósfera y que su propio espíritu comenzaba a no ser ya distinto del de esos seres e iba a quedarse ciego también". Barrunta que comparte con esta masa ciega el mismo "concupiscente copular de emociones" en el que la piedad, la condolencia y el temor de Dios disfrazan el placer, la venganza y el odio y teme que está muy cerca de ceder ante la potestad omnividente de Ventura.

Aunque el hombre contemporáneo está muy lejos del hombre arcaico en la dimensión temporal y espacial, por lo que toca a los procesos psíquicos, el llamado hombre civilizado demuestra tener estos mismos procesos primarios y no ciertamente de una manera esporádica. Por el contrario, el hombre contemporáneo, no importa el grado de civilización que haya alcanzado, continúa siendo un hombre primitivo en los niveles más profundos de la psique.

La ley de la causalidad por ejemplo, es uno de los dogmas más sagrados del *Weltanschauung* del hombre civilizado. En el mundo racional, se considera ilegítima la aparición de fuerzas arbitrarias o sobrenaturales. Causa irritación toda aquella manifestación que no obedezca a las leyes físicas y al orden establecido. En cambio el hombre arcaico presupone que todo sobreviene de poderes arbitrarios y las leyes de causa y efecto carecen de sentido, puesto que el suyo es un cosmos mágico. Gregorio, artista e intelectual; sale del mundo lógico y se adentra en el del hombre arcaico.[34] Con inquietud creciente conjetura que hay una relación entre la realidad exterior:

> y el proceso de evolución de su espíritu, el cual, en virtud de todo lo que para él representaba el cadáver, había regresado a su condición primitiva de espíritu supersticioso, temeroso e inválido, que necesitaba explicaciones de orden mágico, explicaciones fuera de todo principio racional, mientras que su entendimiento antes que burlarse de ellas, como hubiese sido en otras circunstancias, las temía cual se teme un comienzo de locura. (p. 398).

[34] C. G. Jung estudia con profundidad este aspecto en su obra *Modern Man in Search of a Soul,* trans. by W. S. Dell and Cary F. Baynes (New York: Harcourt, Brace and World, 1933). En el mundo revueltiano impera la mentalidad del hombre ancestral; de allí que muchas veces su obra, medida con las normas del mundo racional y científico, sea rechazada por el crítico, como lo hace verbigracia Irby, "La influencia de William Faulkner en cuatro narradores hispanoamericanos". Tesis, UNAM, 1956, pp. 117 y 127-28.

Finalmente Gregorio concluye con rabia que es ya parte de esta masa inconsciente que lo rodea y comparte con ellos el placer de la muerte de Macario. Y si su integridad moral ha sufrido menoscabo, esto se compensa en parte, pues el delito compartido acaba por deteriorar la responsabilidad individual. Su propio cinismo de justificarse ante sí le causa sorpresa y enojo. Precisamente porque la función del mito del héroe es el desarrollo de la conciencia individual, el reconocimiento de sus debilidades y cualidades no es más que un índice del despertar de esa conciencia.

Gregorio obsesivamente, se convence de que por su propia benevolencia puede ser engañado fácilmente, ya que confía en la buena fe y benignidad de los demás seres. Se complace en esta idea y se siente satisfecho "lleno de ternura hacia su propia inocencia y pureza, sin malicia con respecto a la maldad humana, al punto de sentir hacia sí mismo compasión". La mayoría de los héroes trágicos sufren esta patética condición de *hybris,* que corresponde al *hamartia* aristotélico, error de juicio ya sea causado por ignorancia o por una falla moral.[35]

Hasta este punto y dejándose llevar por la falacia del ambiente, Gregorio pretende engañarse a sí mismo, aspecto que confirma su tremenda lucha interior. Se niega a creer que haya tenido conocimiento previo de las intenciones homicidas de Macario. Esta noche el héroe está a punto de perder su propia alma, peligro que acecha al hombre que arriesga el lado consciente de la psique.[36]

El mitema del encuentro, supeditado al de la experiencia de la noche, surge en función de éste como complemento para justificar los terrores nocturnos. De hecho el encuentro se verifica en retrospectiva, en el recorrido de la memoria que Gregorio efectúa. Tiene lugar muy de mañana en una niebla muy espesa. Gregorio va a pie

---

[35] Para Aristóteles el héroe trágico debe ser un hombre "not pre-eminently virtuous and just, whose misfortune, however, is brought upon him not by vice and depravity but by some error," citado por Karl Backson y Arthur Ganz, *A Reader's Guide to Literary Terms* (New York: The Noonday Press, 1960), p. 71.

[36] Jung apunta al respecto: "The primitive 'perils of the soul, consist mainly of dangers to consciousness. Fascination, bewitchment, 'loss of soul,' possession, etc. are obviously phenomena of the dissociation and suppression of consciousness caused by unconscious contents. Even civilized man is not yet entirely free of the darkness of primeval times" *(The Archetypes,* p. 281).

a Ixhuapan. Cuando Macario Mendoza le sale "al encuentro", el tono de su voz es afilado "como un cuchillo casi transparente de odio". Gracias a la advertencia oportuna de ña Camila, y a la intervención de Epifania, Gregorio se salva de caer en la emboscada. Las dos mujeres desempeñan el papel de ángeles guardianes del protagonista.

La actitud descarada de Ventura frente al crimen de Macario tiene la virtud de sacar a Gregorio de su marasmo. Provoca la *anagnorisis*, el momento de reconocimiento en que el personaje va de la ignorancia al conocimiento. Gregorio descubre la clave de sus propias emociones y de su conducta. Con la emergencia del ego también sobrevienen el aislamiento, la soledad, el sufrimiento, toda suerte de dificultades y aun la muerte. A mayor diferenciación o individuación corresponde una mayor separación o disolución de la vida urobórica lo que resulta en un obsesivo sentimiento de impotencia y dependencia de esos mismos poderes.[37]

El aislamiento de Gregorio en lo profundo de la selva recuerda la tentación de Jesús en el desierto. Solitario, abrumado, las dudas, el caos y las tinieblas —el inconsciente— lo envuelven. La interrupción de su soledad por Ventura sirve para acrecentar el cauce de sus pensamientos, la inevitabilidad de informar lo ocurrido al Comité Central del Partido. Su angustia es ocasionada por la certeza de que será condenado por intelectual anarquista y por el asesinato de Macario, que aparecerá ante los ojos del Comité como originado por razones de orden personal y no político. La realización de que será separado de sus deberes y destituido de cualquier posición de importancia equivale a su caída, la cual no atañe a la integridad moral del héroe sino por el contrario revela la rigidez y el dogmatismo de sus superiores.

En el nivel personal el aspirar a un estado superior de la conciencia presupone una rebeldía, un acto de *hybris*, contra las autoridades que tienen rienda del poder, ya sean los padres, la iglesia, el estado, en este caso el Partido, por lo tanto lleva implícitas las consecuencias de una caída. Interpretado como un acto de desobediencia y apostasía, en realidad sólo constituye una reafirmación del indivi-

---

[37] Neumann, *The Origins,* p. 115.

duo consciente, íntegro y libre. Tal decisión es heroica porque sacrifica la comodidad de la conformidad en cambio de sufrimiento y soledad.

Gregorio en un acto de desacato escribe a su superior:

> No veo probabilidades... ni lo juzgo políticamente necesario ni correcto, el organizar agitación alguna en contra del gobierno del coronel Tejeda. He podido comprobar que cuenta con el apoyo de las masas y que sus enemigos son precisamente los antiguos hacendados, el clero y el gobierno de la Federación.

Esto causa la indignación de Fidel por la "osada herejía" del protagonista:

> Si el Partido había resuelto considerar a todo el Gobierno como integrado por traidores a la Revolución, resultaba insolente que alguien dentro del propio Partido, se atreviese a calificar a uno de los miembros del Gobierno como elemento progresista y revolucionario. (p. 366).

Además Gregorio persuade a los campesinos a organizarse en cooperativas para evitar que la semilla sea controlada por los acaparadores. Decisión que tampoco recibe la anuencia de Fidel ya que, en su opinión, en una sociedad de clases sociales las cooperativas no tienen cabida. En su informe redactado al Comité Central, Fidel agrega que Gregorio tiene los defectos de un "intelectual pequeño burgués"... y "abrigaba la propensión de forjar teorías por su cuenta", lo que no concuerda con la doctrina política del Partido.

La visión que Gregorio tiene de esta organización es que los componentes de las jerarquías superiores son "cadáveres" guiados por fórmulas matemáticas, ajenos a las necesidades espirituales y humanas de sus miembros. En particular Fidel, quien lo condena sin parpadear, aparece ante sus ojos "como si ese hombre hubiese perdido el alma para sustituirla por un esquema de ecuaciones, por una ordenada álgebra de sentimientos estratificados dentro de un sistema frío, simple y espantoso". El individuo que, como Fidel, se adhiere ciegamente a los cánones de su grupo carece de alma propia, lo que no sucede con el héroe que lucha por no caer en este engaño y en su heterodoxia llega a lograrlo.[38]

[38] Ibid, p. 379.

Como tramo final y culminante en la aventura nocturna, Gregorio atraviesa por una situación análoga al mitema muerte-renacimiento. El héroe toca fondo en los dominios de la muerte. Ha sido establecido que la presencia próxima de la muerte suele causar un *adumbratio* en los pensamientos o sueños de la víctima. Pasar por ésta experiencia aterradora no constituye necesariamente un acto negativo de aniquilación definitiva, por el contrario, en la mayoría de los casos es una señal positiva, como lo explica Jung: "Those black waters of death are the waters of life, for death with its cold embrace is the maternal womb, just as the sea devours the sun but brings it forth again." [39]

El modelo arquetípico de los ritos de iniciación, tiene como tema central el mitema muerte-renacimiento que va asociado con la incorporación a la vida del grupo y algunas veces como un rito visionario de un individuo aislado. Esto ocurre frecuentemente en el hombre moderno cuando existe un conflicto. *El regressus ad uterum,* parte del rito iniciático, es un retorno individual *ad origine.*[40]

Gregorio es conducido por Ventura a la presencia de Epifania, perpetradora del homicidio de Macario. Epifania, nombre que sugiere claridad, brillo, es descrita como una "figura [que]... tenía algo de angélico, algo de muy puro y casto... con... una transparencia ingrávida y dulce... a pesar de tratarse de una prostituta".[41] Su entrega pasiva "igual que una bestia simple y oscura"

---

[39] *Symbols of Transformation: An Analysis of the Prelude to a Case of Schizophrenia,* trans. by R. F. C. Hull. Bollingen Series XX. *Collected Works,* V (Princeton: Princeton University Press, 1967), 218.

[40] Joseph L. Henderson and Maud Oakes, *The Wisdom of the Serpent: The Myths of Death, Rebirth and Resurreciton* (New York: George Braziller, 1963), pp. 4-6. Jung describe este rito de pasaje de la siguiente manera: "The ritual takes the novice back to the deepest level of original mother-child identity or ego-self identity, thus forcing him to experience a symbolic death." *Man and His Symbols* (New York: Doubleday, 1964), p. 130.

[41] La Epifanía es el día en que el nacimiento de Jesús se manifestó al mundo, y a la vez el nombre de varias vírgenes y mártires (Gutierre Tibón, *Diccionario etimológico comparado de nombres propios de persona* [México: Unión Tipográfica Editorial Hispano Americana, 1956], pp. 165-66 y 517). En el Capítulo III se habla de Eduarda, la prostituta de *El luto humaon,* que comparte características semejantes a las de Epifania; ambas representan el Eterno Femenino del que hablan Goethe y Chardin, citados por Neumann, *The Origins,* p. 201.

no contradice lo dicho anteriormente. Epifania debe tomarse en un sentido estrictamente transpersonal, es la poseedora del receptáculo sagrado de un rito de purificación.[42]

La copulación toma visos de un "acto mortuorio", un "viaje" que oscila entre el ser y el no-ser. El protagonista ve en su entrega a una mujer afligida de una enfermedad venérea "un acto afirmativo de renuncia", un rito lustral. La inmolación del aspecto inferior de la virilidad, en este caso la entrega de su sexo sano, se toma como una disciplina para obtener un mayor grado de espiritualidad.

La relación incestuosa con Epifania es una revitalización del *hieros gamos* mítico, la unión simbólica con la Diosa y con la muerte que sólo puede consumarla el héroe.[43] Esta unión de Eros y Tanatos, la experimenta Gregorio en las entrañas maternales, el acto sexual es "un ayuntarse con la muerte". La forma adulta y desnuda en la que se proyecta, denota la condición desamparada del hombre, lo despoja de su identidad y lo convierte en el hombre universal. El útero-tumba lo abarca.[44] Gregorio emprende el viaje, incursiona por los vericuetos y tejidos uterinos, por esta "patria inaudita". "Ella era el infinito y la muerte". La tierra, la ciudad, la casa, son símbolos universales de la *Magna Mater,* la puerta, de modo similar, porque viene a ser la entrada al recinto materno, "todo volvía a ese punto de origen, a esa puerta cuyo dintel es la frontera y la muerte".[45] El *regressus ad uterum* es un retorno a los orígenes. El caos y las tinieblas prenatales se equiparan con la Noche Cósmica del iniciado,

[42] Ibid, pp. 52-53.

[43] Ibid, p. 17. Campbell le dedica el subcapítulo intitulado "El encuentro con la diosa", *El héroe...*, p. 114. En la poesía mexicana contemporánea la unión de Eros y Tanatos es un motivo predominante, Octavio Paz ratifica: "Para encontrar la unión de sexualidad y muerte en la literatura mexicana hay que ir a López Velarde o a los poetas de mi generación", Xavier Villaurrutia o el dormido despierto". *Vuelta* No. 14 (enero de 1978) p. 12.

[44] Neumann describe este aspecto siniestro de la Madre Terrible: "The mysteries of death as mysteries of the Terrible Mother are based on her devouring-ensnaring function, in which she draws the life of the individual back into herself. Here womb becomes a devouring maw." *The Great Mother,* trans. by Ralph Manheim. Bollingen Series XLVII (Princeton: Princeton University Press, 1972), p. 71.

[45] Neumann, *The Origins,* p. 14; *The Great Mother,* p. 46.

el cuerpo de Gregorio "se impregnaba del Caos, de los elementos que aún no se descubren".

Epifania, por una extraña simbiosis se transfigura en "su propia madre". Esto se explica en cuanto que cada mujer es un molde, la matriz primordial de la *Magna Mater*. El "ímpetu sobrehumano por volver al vientre" de su madre es el deseo de reintegrarse a un estado perfecto de *participation mystique,* en el inconsciente uterino donde el sufrimiento y la soledad no tienen cabida.[46]

Gregorio viaja por los dominios del inconsciente transpersonal cuando describe su arribo a la memoria prenatal, el momento místico en que "un óvulo y un espermatozoide" se conjugan. Hay que tener en cuenta que estas referencias no tienen nada que ver con el sexo, ya que el problema crucial de Gregorio es su preocupación por la vida y la muerte, el origen y el destino.[47]

El protagonista explica que esta vivencia nunca sentida antes con ninguna otra mujer no le había traído "en rigor, nada de goce". El ayuntamiento con su madre —Epifania— adquiere a los ojos de Gregorio la categoría de "un acto moral y esencialmente religioso, destinado al reencuentro de la estirpe primigenia", cuyo propósito es enaltecer "la condición, el destino, la historia de todos los seres humanos".

El incesto del héroe es calificado de activo, para distinguirlo del incesto pasivo que tiene lugar muy temprano en la vida del "yo" adolescente y que por lo tanto presenta características destructoras y eróticas. Tanto Jung como Neumann y Eliade demuestran el as-

---

[46] No coincidimos con la interpretación de la condición fetal, de Adolfo Ortega y M. Frankenthaler, como una situación desamparada y negativa por la falta de autonomía. Ortega opina que el autor: "recurre simplemente a un artificio artístico, a algo fantaseado... a través de lo cual insinúa los indicios de dolor, sufrimiento y muerte desde las primeras formaciones de vida en el vientre materno... las tinieblas de la celda provocan en Gregorio semejantes regresiones fantaseadas..." "The Social Novel...", p. 74. No creemos que Revueltas lo utilice como recurso literario, en el caso de Gregorio queda plenamente aclarada y comprobada su función, en el contexto que aquí se expone.

[47] Neumann insiste en el aspecto creativo de estos fenómenos: "To call such images 'obscene' is to be guilty of a profound misunderstanding... the sexual symbolism that appears in primitive cult and ritual has a sacral and transpersonal import, as everywhere in mythology. It symbolizes the creative element, not personal genitality" *(The Origins,* p. 19).

pecto creativo del incesto heroico, puesto que es un acto transformativo, un renacimiento simbólico.[48] El retorno a los orígenes prepara al iniciado para una palingénesis, un nuevo modo de existencia. Esta condición exige la expansión y madurez de la conciencia. La palingénesis, objeto fundamental de los ritos iniciáticos no es privativo de los pueblos primitivos, en el simbolismo cristiano a través del sacramento del bautismo, hay un renacimiento espiritual.

El adolescente y el neurótico, se niegan a abandonar las paredes cálidas y protectoras de la madre, *pathos,* observa Campbell, muy común en los Estados Unidos. En cambio, en el caso del hombre maduro le sirve de señal para romper con el mundo exterior y hallarse a sí mismo. Gregorio a pesar de sus temores, incertidumbre, zozobra, sigue adelante confrontando las pruebas en el camino que se ha impuesto.

A los ojos del Partido Gregorio ha fracasado en la tarea encomendada, al protagonista le aguarda el castigo que se aplica a aquellos que se atreven a rebelarse en contra de sus designios. Su odisea no ha finalizado, Gregorio tendrá todavía que apurar las heces más amargas en la soledad y el descenso a los infiernos.

Hasta ahora el héroe ha luchado contra los obstáculos de un mundo primordial y arcaico y estas situaciones conllevan una acongojada crítica social. En ellas Revueltas señala el fracaso de los líderes del Partido, quienes arrullados por su propia indoctrinación están incapacitados para ver que ellos mismos y sus adeptos viven una realidad muy alejada de los ideales que han propagado. Los indios han reemplazado el escapulario por el carnet del Partido que

---

[48] Jung, *Symbols of Transformation,* p. 226. Neumann, *The Origins,* p. 148-49. Mircea Eliade, *Mito y realidad,* p. 95. Neumann interpreta el significado del incesto en esta etapa:

It goes without saying that the term "incest" is to be understood symbolically, not concretistically and sexually... Uroboric incest is a form of entry into the mother, of union with her, and it stands in sharp contrast to other... forms of incest. In uroboric incest, *the emphasis upon pleasure and love is in no sense active, it is more a desire to be dissolved and absorbed*... The Great Mother takes the little child back into herself, *and always over uroboric incest there stand the insignia of death,* signifying final dissolution in union with the Mother. *(The Origins,* pp. 16 y 17) (subrayados nuestros).

llevan colgado al cuello como amuleto, pero los ídolos católicos y los rituales paganos siguen teniendo vigencia y el resultado es un hibridismo extraño, basado en la ignorancia y la superstición. Estos campesinos afiliados al Partido Comunista descubren que a Gregorio le gusta pintar y le solicitan que retoque dos imágenes, una de San José y otra de la Virgen. El mismo acto criminal de envenenar el río tiene por objeto, al obtener el producto de la pesca, costear una peregrinación y adquirir ofrendas para festejar a la Virgen del Carmen, en la laguna de Catemaco. A Gregorio todo esto le parece incomprensible:

> Esa era la razón de su codicia y de que, a pesar de las disposiciones en contrario de la Liga Regional Campesina, los pueblos de las márgenes del Ozuluapan accediesen a embarbascar el río, su río, del que la Revolución, junto con la tierra, les había dado el usufructúo. (p. 348).

Por otra parte la función de la mujer como ser humano es nula, es descrita como un animal pasivo, un apéndice del hombre. El Centro Femenil Rosa Luxemburgo es un "anacronismo", al que se afilian únicamente las mujeres viejas, porque las jóvenes, le explica la mujer de Ventura a Gregorio:

> ...tenemos nuestro deber de Dios, que es casarnos, acostarnos con nuestros maridos, parir y criar a nuestros hijos. Las ancianitas ya no pueden hacer nada de eso, la única obligación que les queda es luchar por los derechos de la mujer... (p. 352).

Dato interesante es que la mujer añade que esta misma pregunta de Gregorio la había hecho "el compañero Revueltas" dos años antes, durante la estancia que pasó entre ellos. La actitud de la misma Jovita al finalizar su declaración, corrobora esta interpretación, al extraer una "nigüa" royéndole el pie a Ventura con los dientes, se comporta "igual que un perro", "Como un perro" comenta con insistencia el narrador.

Los mitemas descritos en esta fase a la vez que sirven de elemento estructurador en la novela, están cargados de fuerte censura, dirigida a denunciar la ineficacia del Partido, y la degradación, el servilismo, la mezquindad y la deshumanización de sus miembros.

u actualización pone de manifiesto que la forma de vida a la que
l héroe se ha incorporado es aún más despreciable que la forma de
ida previa. Una vida que destruye la espiritualidad y los valores
morales del individuo no puede ser enaltecida, mucho menos digna
le ser imitada.

Otra forma de revivificación del mitema del encuentro, que prue-
a ser significativo por las repercusiones que tiene en el mitema de la
aída, es su última confrontación con Fidel. Fidel, antagonista, per-
onifica el modo de vida que hay que evitar, el narrador lo califica
e "sacerdote de una pavorosa religión escalofriante". Por su fun-
ión de dirigente del Partido y superior inmediato de Gregorio, pu-
iera haber desempeñado el papel de guía y consejero, puesto que
s él quien lo introduce a esta nueva vida, es por el contrario un
ersonaje adverso. Desde el primer encuentro entre los dos, después
e aquel mitin en Santo Domingo, la antítesis queda establecida.
idel cree en la perfectibilidad del hombre, está convencido de que
na metamorfosis sustancial ocurrirá con el advenimiento de una
ociedad sin clases. Para Gregorio el hombre es ante todo un ser humano falible, con sangre, emociones y semen. Él no espera ninguna
modificación trascendental y rechaza la "causalidad infantil que pre-
pone... un hombre nuevo en un mundo nuevo".

José Revueltas en esta tercera novela ha reemplazado a Nati-
idad, salido de las masas, por un héroe individual y concientizado.
a desmitificación del futuro Paraíso poblado de seres sanos, ideo-
ógicamente superiores, esperanza de un amanecer marxista y la
egación de Natividad, es definitiva y contundente.[49]

El corolario del crimen mítico de *hybris* es la caída del héroe.
l título *Los días terrenales* de hecho señala esta caída del paraíso
ñado —que resolvía cómodamente las incógnitas, proveía seguridad
leológica— a la categoría de hombre mortal, perecedero, sujeto a
a soledad existencial.

En la última entrevista con Fidel, en el Consejo de Desocupados,
regorio inicia su viaje a las regiones infernales. El lugar emerge
los ojos de Gregorio como "una cárcel de muertos". Estas gentes

---

[49] Hay en este concepto del héroe un cambio radical, por eso no com-
artimos la opinión de otros críticos que Gregorio sea una prolongación o
encarnación de Natividad.

son sombras de hombres y mujeres a quienes la miseria ha despojado de su humanidad, "...eran las mismas de cincuenta, de cien de trescientos años atrás, con idéntica indiferencia ante su propio dolor y su propio desamparo". Una mujer que ante la vista de todos realiza una función fisiológica, cobra de repente "una naturaleza cínica y alucinante" el instinto de supervivencia la lleva a disputar con un "perro apocalíptico, un pajarraco impotente" por unos restos de frijoles. La "bruja maldita" lleva en el rebozo, de que escapa un "rumor zoológico", "unos chillidos... de rata", a "...su hijo". El presidente del Consejo, personaje grotesco, semeja una marioneta "con ojos... de mico", sus orejas "de elefante, pero al mismo tiempo con algo de las extremidades de un palmípedo membranosas, anchas, ...hasta causar pena", su paso es "tan deshumanizado y asimétrico como esas perchas de los vendedores ambulantes".

Gregorio, en contraste, aparece en los pensamientos de Fidel como un hombre de "rostro noble y audaz, con una frente recta y ancha el mentón dulce y fino hasta lo infantil". La sensibilidad artística del héroe se rebela frente a estos desechos humanos. "Gregorio se estremeció... La dolorosa aspiración a un mundo bello, donde todo respondiera a un orden justo y equilibrado, lo lastimaba dentro del espíritu..."

Fidel en este episodio emerge como Judas Iscariote el que traiciona a Jesús-Gregorio. Por sentir que Gregorio es un verdadero amigo "en quien podía confiar de manera absoluta", un equivocado concepto de lealtad al Partido, lo lleva a encarnizarse ferozmente contra él "para que dicha amistad no influyera sobre la rectitud con que deben tratarse los problemas de principios...". Gregorio expone en este encuentro sus ideas de las cuales se entresacan las que son pertinentes al tema expuesto:

> La tarea del hombre es llegar a serlo... El problema radica en adquirir desde ahora, la conciencia, dentro de uno mismo, dentro de su individuo, de lo que es el hombre en total en su condición de ser palpable y contingente... con sus vicios y sus virtudes. (p. 508).

La solidaridad sin conciencia es vista por él como un instinto animal:

Las grandes masas idiotamente felices, ebrias, de la dicha conquistada (los hombres sin clases, dentro de un mundo comunista) ajusticiarían a los filósofos, a los poetas, a los artistas, para que de una vez los dejaran en paz, tranquilos, prósperos, entregados al deporte o algún otro tóxico análogo. Se cerraría así el ciclo de la historia para recomenzar una fantástica prehistoria de mamuts técnicos y brontosauros civilizados. (p. 509).

La destrucción del humanismo por la tecnología. El obrero, el trabajador, recolectivizado por las masas se reduce a un hombre atomizado, no alcanza ni siquiera el estado de *participation mystique* del hombre primitivo en relación a su grupo, porque el hombre-masa no demuestra nada transpersonal en su actitud. La participación auténtica se manifiesta por una responsabilidad común y una inclinación hacia el altruismo. Gregorio comprende esta necesidad, así como también la importancia de que ésta sea una "responsabilidad común en lo malo y en lo bueno" y esté respaldada por "nuestro mismo nombre y apellido". Ya que la anonimidad del individuo en la masa incrementa el desarrollo de la Sombra, como lo comprueban los incidentes del río y la muerte de Macario Mendoza. En la conciencia de su finitud, en ser consciente de su soledad, de su dolor, de su miseria, estriba la dignidad del hombre. Gregorio cita las palabras bíblicas, "en la mucha sabiuría hay mucha molestia; y quien añade ciencia añade dolor". Eclesiastés 1:18, libro salomónico, que ayuda humanismo y se explaya con escepticismo sobre la frustración del hombre frente a la futileza de la vida. El árbol de la ciencia gravita en la órbita del mito de la caída. El hombre era inconsciente antes de probar la fruta prohibida, por lo tanto comer ésta es equivalente al acto de obtener la conciencia. El hombre consciente se sustenta en un mundo plagado de sufrimiento y de trabajos.

Fidel es el mensajero de la suerte que el Comité ha destinado para Gregorio quien debe encabezar la "marcha de hambre" de Puebla a México.

El mitema de la caída o el descenso a los infiernos en su secuencia lógica es anterior al mitema muerte-renacimiento, sin embargo éste aparece asociado al mitema de la experiencia nocturna y reaparece con igual fuerza en esta instancia. El mitema del descenso a los

infiernos y el del morir-renacer contienen un simbolismo semejante
puesto que en ambos existe una situación de enclaustramiento, con
dición afín a la fetal. Para Slochower, la caída o viaje a la región
del Hades, viene a ser "la noche oscura del alma" región que todo
héroe mítico moderno debe franquear.[50] Esta interpretación se com
plementa con la de Cirlot, quien informa que es "The descent int
the unconscious or the awareness of all the potentialities of being
cosmic and psychological." [51] Según ha notado Villegas, la reactiva
ción de este mitema en la realidad desacralizada de la novela mo
derna, con frecuencia se verifica en motivos tales como la prisión
el cautiverio del protagonista.[52] El descenso a las regiones infernale
se materializa en cuatro incidentes que progresivamente adquiere
tintes más sombríos. El primero, ya comentado, corresponde al de
Consejo de Desocupados.

Al entrar al dispensario de enfermedades venéreas —segund
momento— Gregorio tiene la sensación de penetrar a una "cárcel"
experimenta vivamente la pérdida de su libertad. El inmueble e
personificado, las puertas con los vidrios ciegos, pintados de blanco
están "amordazadas". "Tres espantosas palomas" se pasean satisfe
chas por el pequeño jardín con "un aire casi equívoco, obsceno"
Recibido por una mujer "masculina" con una observación avies
Gregorio está a punto de romper a llorar. Las sonrisas y mirada
descaradas de la recepcionista y otros pacientes, el cartel de propa
ganda higiénica de un niño ciego atropellado por un automóvi
hacen que desee "huir de ese infierno". Los símiles malignos se mul
tiplican, las palabras son silbidos, los ojos del personal están "muer
tos", el médico es un "pájaro" y los enfermos se metamorfosean e
"renacuajos". La enfermera es "un ser deforme... una lagartij
angulosa... ojos de saurio... cabeza... maligna". El Dispensari
todo se transforma en un antro infernal y la curación colectiva toma
visos de un ritual cuya dinámica es el sadismo de los oficiantes
La ayudante del médico, mujer de aspecto perverso, adopta "l

---

[50] *Mythopoesis: Mythic Patterns in The Literary Classics* (Detroit: Way
ne State University Press, 1970), pp. 23 y 24.
[51] *Op. cit.,* p. 158. Neumann observa este paso obligado del neófit
por el infierno, de la que sale cubierto de luz y de gloria *(The Origin*
p. 161).
[52] *Op. cit.,* p. 118.

actitud hierática de un severo guardián"... "Aquél era su reino, su dominio inalienable". La otra enfermera "tiene el aire impasible y esotérico de la oficiante de algún culto lleno de severa religiosidad". "Es una sacerdotisa... una ayudante de Torquemada".

Gregorio se somete voluntariamente a un rebajamiento de su dignidad humana como precio del acto de caridad y depuración con Epifania.

La marcha de hambre —tercera secuencia de su viaje al averno— desemboca en una confrontación entre comunistas y policías, víctimas y victimarios exhiben un solo rostro, el de la bestialidad humana. El demonio interno de la masa, la sombra colectiva, cobra autonomía y se desencadena. Este retroceso al inconsciente toma proporciones catastróficas.

Gregorio a quien el maquinista brinda la oportunidad de escapar en la locomotora, declina la oferta y permanece en su puesto. La estación de San Lázaro, local de la batalla, semeja un laberinto, una trampa. Por el lado inferior la complicada red de los innumerables rieles, por el superior "los cables de la energía eléctrica enmarañados... iguales a culebras en su nido". En el simbolismo revueltiano la serpiente constituye el aspecto *ctónico*, el inconsciente primordial, la recolectivización del hombre-masa. Este aspecto regresivo se confirma en el siguiente párrafo:

> Todas las cosas se mostraban increíbles y trastornadas. El rostro del verdugo. Se había operado en el interior de las gentes algún divorcio esencial, alguna grave ruptura... No se trataba siquiera del terror ni del odio de unos y otros, sino de un elemento mucho más oscuro y primitivo, y en todos por igual, perseguidos y perseguidores, como si su alma hubiese dejado de existir. Con exactitud eso. Seres ya nada más sin alma. Ecuaciones horribles. (p. 536).

Las imágenes que se hilvanan alrededor del episodio de los ciegos son de pavor, "hombres sin ojos... de otro planeta... pertenecían a un horrible mundo submarino". Se mueven desesperados "como peces fuera del agua", sus manos "crispándose en el aire igual que las frenéticas garras de medio centenar de aves de rapiña" tienen un "peculiar terror venenoso", sus voces al cantar La Internacional tienen "desde el fondo mismo del infierno".

La ceguera y su manifiesto simbolismo remite nuevamente a la oscuridad psicológica puesto que la pérdida de la vista, por lo tanto de la luz, viene a ser una mutilación del lado superior de la psique el lado consciente. La prisión es la secuela lógica de la instancia anterior y el último peldaño en el viaje de descenso. El confinamiento del héroe a la Noche Cósmica, territorio tenebroso del caos y el inconsciente. Esta última secuencia corresponde en la novela a último capítulo encabezado con una cita de la Apocalipsis según San Juan 3:17. Gregorio como el cuitado de la biblia, ha demostrado su tibieza en sus creencias y devoción —en este caso comunistas. Gregorio acepta su miseria, ceguera y desnudez que le son reveladas en este acto final.

El descenso de hecho se efectúa en una dimensión física. Gregorio es conducido por los "esbirros" a un ascensor donde baja a las entrañas de la tierra para ser golpeado brutalmente hasta perder el sentido. El tiempo piede su fluidez y se abroga su esencia concreta histórica, para desembocar en un tiempo mítico. Esta perspectiva presupone un deseo de regeneración por la misma reactivación de acto arquetípico. "Del tiempo era imposible decir nada. Simplemente no existía... No, al no ver en absoluto, el transcurrir del tiempo perdía su realidad...". El tiempo estancado va asociado con la pérdida temporal de la lucidez de la conciencia. La celda deviene "...otro país... un territorio sin contornos..." Con la lenta recuperación de los sentidos Gregorio explora las tinieblas, guiándose con el tacto:

> Casi dos metros... era la sensación súbita de una caída, a travé del interminable vacío en que el cuerpo había flotado sin sitio; era el asegurarse en la pertenencia a algo, el recobrar o adquirir una patria, un territorio de lo concreto, y al mismo tiempo también la sensual complacencia, el asombro gozoso de ser, y de ser como en virtud de un acto de la propia voluntad, por autoconcepción, por autoengendramiento, exactamente el parirse, el salir uno mismo de su propio vientre igual que los dioses antiguos. (p. 525).

Es preciso captar el principio creativo y espiritual inherente en este supuesto acto de generación espontánea o partenogénesis. Esta constituye la forma urobórica de procreación, sin pareja, en la cual el que engendra, el elemento fecundado y el concebido se fusionan arribando a un todo integral.[53] Gregorio se percata que todas estas sensaciones son premoniciones de su inminente fin, "Era la muerte, el otro extremo de la facultad de conocer, el trance... [del existir] hacia la nada".

Los indicios que apuntan a su regeneración de hombre integrado son numerosos. Gregorio percibe la realidad en el plano cósmico como un retorno al estado primordial amorfo y su reintegración al caos:

> En el principio fue el Caos... simplemente una etapa anterior a la experiencia... Después la luz se hizo... vivía en esos instantes un aprendizaje extraordinario en que las cosas apenas comenzaban a dársele una por una, inéditas, saliendo de la nada... más bien cifras, jeroglíficos para representar los estados primarios del alma; ...esa angustia extraña y ambigua que es el comienzo de la conciencia del yo, ...el día Número Uno del hombre..., (pp. 526-27).

El mito cosmogónico se proyecta simultáneamente en dos dimensiones, en la vida de la humanidad y en la vida del héroe, el génesis del cosmos se identifica con el génesis del hombre, de la conciencia y del ego.[54]

El infierno en el simbolismo mítico se localiza en el centro de la tierra, lugar de terror, particularmente dentro de la tradición judaico-cistiana. Los motivos inherentes al mitema Infierno-Caída están pesentes: caos, transfiguración de la realidad, confusión, muerte, noche cósmica, vientre. El centro de la tierra por su asociación con la *Magna Mater* se considera la matriz del Universo. Así pues Gregorio ha penetrado nuevamente en el útero de la madre, no es de extrañar que repetidamente evoque el pavor de la aventura nocturna en Acayucan, específicamente su unión con Epifania —*imago mater* y su reclusión en la cárcel-infierno-vientre. En todo caso este *regres-*

---

[53] Jung entiende este acto como una renovación del espíritu: "There can be no doubt that there is a close connection between this [self-fertilization] and the idea of the cosmogonic self-creator. Here, however, world creation gives place to spiritual renewal..." *Aion: Researches into the Phenomenology of the Self,* trans. by R. F. C. Hull. *Collected Works,* IX, Part 2 (Princeton: Princeton University Press, 1968), 207.

[54] Esta idea corresponde a la tesis de Neumann, quien sostiene que la conciencia individual pasa por las mismas fases de evolución que la conciencia de la humanidad *(The Origins,* pp. 6 y 7).

sus ad uterum prepara al héroe para un renacimiento de orden espi
ritual. El retorno al caos primordial, a las tinieblas prenatales, "l
noche anterior a la Creación" conllevan en el concepto de Eliade u
simbolismo regenerador que desemboca en el mitema morir-renacer.[5]

En sus elucubraciones Gregorio atribuye a la función mental c
"ir construyendo dentro de nosotros un indecible minotauro, un
cabeza de Medusa". Es la materia pensante, el hombre, quien edi
fica su propio laberinto, sus propios ídolos, sus propios monstruo
La cabeza de Medusa o sea el vientre de la madre en su aspect
devorador, las mandíbulas del infierno, y el minotauro son represen
taciones del motivo del monstruo. Este es un símbolo de una situació
aciaga, ya sea en el plano colectivo o individual, social o psicológic
que amenaza a un pueblo o a un individuo. El minotauro, por s
aspecto teriomórfico, toro en la parte superior o sea la cabeza, órga
no que como el sol y la luz está correlacionado con el espíritu
la conciencia, presupone el predominio de lo animal sobre lo espi
ritual en el ser humano.[56] Y es uno de los obstáculos con los que s
enfrenta el héroe mítico.

Gregorio en su desorientación asume la figura de un "Tese
frente al minotauro, Teseo sin el hilo de Ariadna". La equivalenci
acarrea sensaciones precisas, laberinto, infierno, cautiverio. Teseo e
por excelencia el arquetipo del héroe mítico, distinguiéndose com
héroe de la individualidad, del cual ha dicho Slochower que "i
wholly human and his loneliness is the tragedy of *la condition hu
maine*".[57] El mitema laberinto-infierno aparece en consecuencia com
parte integrante de las ordalías que debe sufrir el héroe para alcanza
el alto grado de espiritualidad a la que aspira.

El laberinto, lugar de confusión y desorientación es un conocid
símbolo del inconsciente. Henderson y Oakes lo describen de l
siguiente manera:

> The experience of the labyrinth... always has the same psycholo
> gical effect... the initiate is "confused" and symbolically "loses hi
> way." Yet in this descent to chaos the inner mind is opened to th
> awareness of a new cosmic dimension of a transcendental anture.[58]

[55] Eliade, *Mito y realidad,* pp. 93-96.
[56] Cirlot, *op. cit.,* p. 200; Neumann, *The Origins,* p. 311.
[57] Slochower, *op. cit.,* p. 297.
[58] *Op. cit.,* p. 46.

Villegas por su parte añade que este mitema "Puede considerarse como el aprendizaje para entrar en los territorios de la muerte". Lo cual se verifica en las constantes alusiones de Gregorio con respecto a su íntimo contacto con la muerte. Como se ha dicho, Gregorio advierte una analogía de motivos e imágenes entre la experiencia de la noche en Acayucan y esta situación de su caída final, "la recurrencia... de este lenguaje... prefiguraba el conocimiento sensorial de la muerte".

La reacción *a priori* de Gregorio, al reconocimiento del minotauro-Esfinge-"W. C.", es la de despertar el afán nominativo. Nombrar, clasificar, es poner orden en un universo caótico o *massa confusa* inicial. Bajo el control semántico Gregorio intenta contrarrestar las fuerzas oscuras, desconocidas, infligir linderos, establecer defensas:

> Su espíritu se movía en el ámbito de la magia, en la edad de lo mitológico, sujeto, esclavizado a ese ídolo ahí presente, a ese demonio, a ese dios que todo lo explicaría. A ese Dios. Vishnú, Ahriman, Brahama, Jehová, Shiva, Huitzilopochtli... Era preciso, entonces, aplacar al dios, reverenciarlo, tenerlo complacido, inventar una religión y un culto para rendirle pleitesía. (p. 530).

Esta función cognoscitiva del mito ha sido interpretada por Wheelwright como un modo de aprehender el mundo que nos rodea.[59] Jung nos recuerda la necesidad del hombre de vivir por mitos y más aún la compulsión que lo lleva a elaborarlos él mismo.[60]

Toda esta aparentemente injustificada e innecesaria disquisición de Gregorio sobre la reactualización del Génesis y la recapitulación simbólica del mito cosmológico, la creación del monstruo-divinidad y el anhelo de ser su propio redentor tiene un propósito determinado. Todo ello hace posible que Gregorio se traslade a un mundo auroral, se haga contemporáneo de él y penetre en un mundo transfigurado, mítico, en el que todo ocurre por primera vez. Esta actitud viene a ser la clave de la posición que Gregorio asume frente a la vida. Por lo tanto se erige en un ejemplo elocuente de la importancia de la réplica del mito cosmogónico para instilar validez a la

[59] *The Burning Fountain: A Study in the Languages of Symbolism* (Bloomington: Indiana University Press, 1968), p. 150.
[60] *Symbols of Transformation,* p. 25.

existencia conformándolo él mismo. Volviendo a la fuente original, imitando el gesto arquetípico, el hombre recrea su propio cosmos, sus propios monstruos y dioses, "Porque el Minotauro es también el refugio y la salvación, el consuelo y la esperanza". En esta interpretación es significativo mencionar lo declarado por Eliade que "todo mito de origen narra y justifica una «situación nueva»" a lo que añade:

> En todas... [las]... situaciones negativas y desesperadas, aparentemente sin salida, puede cambiarse la situación por la recitación del mito cosmogónico... [este]... se recita también con motivo de la muerte, pues la muerte, también, constituye una situación nueva que interesa asumir bien para hacerla creadora... La cosmogonía es el modelo ejemplar de toda especie de "hacer"... porque el Cosmos es el arquetipo ideal a la vez de toda situación creadora y de toda creación... [61]

En la jornada mental del héroe la celda es su *imago mundi*; Gregorio su creador, recorre sus cuatro dimensiones, se adueña de la oscuridad e impone un orden en el mundo.[62]

El círculo de la vida y la muerte constituye un circuito cerrado. La teoría mitológica del "conocimiento anticipado" sostiene el punto de vista que todo conocimiento es memoria, experiencia transpersonal, conocimiento ancestral; conocimiento que se adquiere ya sea en el estado pre-natal o en el post-mortem, estados que en el *uroboros* se identifican, mientras se está en el ámbito materno que es fuente de sabiduría y de creación. Campbell ve la vida del hombre en términos muy semejantes:

> Es un círculo completo, [que va] de la tumba del vientre al vientre de la tumba; ...Y al volverse a mirar a lo que había prometido ser nuestra aventura única... sólo encontramos que el final es una serie de

---

[61] *Mito y realidad*, pp. 35, 45 y 46.

[62] El cuadrado es un concepto sagrado en ciertas religiones. El número cuatro es un antiguo símbolo que, a su vez, tiene un significado numinoso, expresa los elementos fundamentales de nuestra experiencia en el mundo: los cuatro puntos cardinales, las cuatro estaciones del año, introduce un elemento de orden en la materia cósmica. Jolande Jacobi, *Complex/Archetype/Symbol in the Psychology of C. G. Jung*, trans. by Ralph Manheim, Bollingen Series XVII (Princeton: Princeton University Press, 1959), pp. 165-68.

metamorfosis iguales por las que han pasado hombres y mujeres en todas las partes del mundo, en todos los siglos, de todos los siglos de que se guarda memoria... [63]

Gregorio acepta con dolor esta condición humana como una fuente de dignidad para el hombre:

Eran la memoria del ser, la más remota memoria zoológica. El hombre había nacido de las tinieblas... El círculo inacabable de la noche humana, desde la del vientre materno hasta la del cosmos; la incertidumbre, la desazón, la tristeza, la desesperanza del hombre como fruto de ese origen terrible de tinieblas. (pp. 531-32).

La experiencia desgarradora de la cárcel-infierno lo distancia del mundo "en definitiva, transformándole en un ser aparente doloroamente sabio y desnudo... un individuo diferente y extraño". La naturaleza ambivalente del héroe trágico proviene del propio concepto que éste tiene de sí mismo. Hay algo que descubre en sí, una cierta sabiduría adquirida que lo distingue de los otros hombres; al mismo tiempo que es tan humano como el resto de los mortales, se percibe extraño frente a la humanidad. La certidumbre de ser "diferente" es una de las peculiaridades del proceso de individuación y del héroe. Gregorio se siente aislado, alienado de la colectividad, pues su empresa entraña sufrimiento, soledad. El héroe se ve forzado a llevar esta carga en su propio espíritu. El conflicto, reflexiona Gregorio, no consiste en saber si la verdad por la que uno vive es genuina "cuanto si uno es capaz de llevarla a cuestas y consumar su vida conforme a lo que ella exige". Neumann nos ilumina más sobre el significado de esta actitud:

The suffering entailed by the very fact of being an ego and an individual is implicit in the hero's situation of having to distinguish himself psychologically from his fellows. He sees things they do not see, does not fall for the things they fall for —but that means that he is a different type of human being and therefore necessarily alone. The loneliness of Prometheus on the rock or of Christ on the cross. [64]

[63] Campbell, *El héroe*, p. 19; Neumann, *The Origins,* pp. 23 y 24. Jacobi también hace notar este círculo primordial e infinito *(Complex/Archetype/Symbol*, p. 187).
[64] Neumann, *The Origins*, p. 378. Frye hace hincapié en este aspecto del héroe artista, el *"pharmakos",* nos dice, no es inocente ni culpable, su

Su descenso al precipicio ha reafirmado su "verdad" y seguridad
de propósitos. Al descubrirse por primera vez en la celda se informa
que no se puede ver nada en absoluto, "tampoco, al contrario de lo
que siempre ocurre después de algunos minutos la oscuridad se volvió
accesible". Posteriormente a su crisis espiritual Gregorio examina de
nuevo su celda "Ya podía ver ciertas cosas... una especie de orde-
nación que le daba confianza". El "ver" y el "conocer" funciones
distintivas del índice más elevado de la conciencia han sido asumidos
en este nuevo estado por Gregorio. La visión y el conocimiento son
indispensables para su regeneración espiritual:

> Habíase asomado a un abismo en el fondo del cual contempló
> por primera vez el rostro de sus semejantes, real y bárbaro, y este
> hecho le daba una naturaleza nueva, sin precedente, sin huella ni dato
> de otro tiempo anterior suyo. (p. 532).

Revueltas plantea la necesidad del hombre de realizarse como
individuo, espiritualmente. "El destino no significa —se dijo [Gre-
gorio]— sino la consumación de la propia vida de acuerdo con algo
a lo que uno desea llegar... En cierta forma es un asunto privado,
personal, de temperamento, y cada quien debe encontrarlo". Puesto que el significado varía de individuo a individuo, lo importante
es el significado específico que una persona puede dar a su vida en
un momento determinado. Es tarea de todos y cada uno de los
hombres, hallar ese significado en las propias acciones y decisiones.[6]
El viaje mítico de Gregorio al inconsciente colectivo de la humanidad, al reino de la muerte, es pues una vivencia creadora, en la
cual Gregorio se redime a sí mismo, "Gregorio convertiríase en anun-
ciador y Mesías de su propio ser", pero también es una búsqueda

situación en mitología puede equipararse con la de Job. *Anatomy of Criticism*
pp. 41-42. Jung señala que el héroe está condendao a un "isolation in
himself" *(Symbols of Transformation,* citado por Neumann, *The Origins*
p. 378).

[65] Esta declaración de Gregorio nos hace pensar que Revueltas no pretende ofrecer la conducta del héroe como una de dos alternativas única
accesibles al hombre, tal como afirma James Irby, "o el misticismo de un
Gregorio o la deshumanización de un Fidel" ("La influencia de William
Faulkner", p. 127); por el contrario lo que Revueltas propone es bien claro:
el hombre debe escoger su propio camino.

interior, ontológica, de la esencia de la existencia, la naturaleza del hombre y su destino. Volver a la condición uterina, unirse a Epifania, es una manera de alcanzar "el indicio acerca del destino de sus semejantes". Se percibe en esta declaración de Gregorio, al héroe como portador de un conocimiento sagrado. Frente a la existencia del mal, el protagonista ejerce una función redentora. La acción heroica no sólo incumbe a Gregorio sino que afecta el destino de la humanidad, tal como el mismo Gregorio lo manifiesta, al concebir al hombre como parte "de una unidad moral indivisible a la cual cada uno de nosotros pertenecemos y de la cual somos solidarios y responsables en lo individual".

Erich Neumann ha realizado un estudio profundo de la psicología víctima/victimario, asunto de capital importancia en la obra de José Revueltas. Este motivo es discutido con más detalle en el capítulo IV. Aquí concierne únicamente el aspecto relacionado con la actitud "suicida" de Gregorio que ha sido censurada severamente.

Jung dirige la atención a la atracción apremiante que guía al héroe hacia el sufrimiento y el sacrificio de sí mismo.[66] Una de sus manifestaciones, en el caso de Gregorio, es su entrega a Epifania. Otra es el sometimiento a su destino, concebido éste en términos de dolor, sufrimiento, muerte, moldeado por sus propias decisiones las cuales le imparten una fisonomía y estructura individuales. El sufrimiento creativo sólo es accesible con el advenimiento de la conciencia. La verdadera tarea del hombre para Revueltas, no es evitar el sufrimiento, parte intrínseca de la vida, sino hacer de él una experiencia fecunda llevándole hasta sus últimas posibilidades y de este modo dar validez y significado al sacrificio.[67]

Entre los motivos que se incorporan a los mitemas descritos merecen discutirse el de la soledad, el aislamiento, la orfandad, ya citados previamente. Por su insistencia adquieren categoría de leitmotifs, los cuales se agudizan en su estancia en el Consejo de Desocupados, en

[66] Citado por Neumann, *The Origins,* p. 378.

[67] Viktor Frankl ha caracterizado este aspecto de la existencia: "In accepting this challenge to suffer bravely, life has a meaning up to the last moment, and it retains this meaning literally to the end. In other words, life's meaning is an unconditional one, for it even includes the potential meaning of suffering." *Man's Search for Meaning: An Introduction to Logotherapy* (New York: Washington Square Press, 1963), p. 181.

el cual Gregorio siente que un muro se erige entre él y los demás hombres. Soledad que va acompañada de un tremendo desamparo en la experiencia del Dispensario y que alcanza su punto crítico en la instancia de la crisis final. Aquí la aparente antinomia desasosiego-tranquilidad se entiende como certidumbre de la ruta elegida y si-multáneamente convicción de sufrir lo que Neumann denomina la "pérdida primaria".[68] Ésta se intuye en las emociones que expresa Gregorio: "ciertos deseos confusos, ciertas nostalgias y una especie de necesidad dolorosa de que se le protegiera y se le amara como a un niño sin amparo". Esta añoranza de no estar ya resguardado en el recinto materno es el deseo confuso y oscuro que invade a Gregorio. Pérdida voluntaria que se impone a sí mismo, pero no por ello menos dolorosa, que se traduce en soledad y sentimientos de culpa.

Cuando Gregorio oye que la puerta de hierro de su celda se abre, una ráfaga de luz la envuelve toda. La luz va siempre asociada con el héroe y su enriquecimiento psicológico, es símbolo de la vic-toria de su empresa y de su renacimiento espiritual.[69]

El gesto final de Gregorio es al mismo tiempo una concretiza-ción de la muerte ritual de la tragedia griega, *sparagmos,* y de la encarnación de la crucifixión de Cristo. Ambas estructuras son homó-logas, con una imagen central unificadora: tortura y muerte. La alusión de Gregorio a la frase "«sed tengo». Entonces le dieron a beber vinagre" y la llegada de los verdugos "...para torturarlo nuevamente. Para crucificarlo", sólo es un testimonio más de su simbiosis con la figura de Cristo, paradigma del proceso de indi-vidualización.[70]

---

[68] Neumann se ha encargado de interpretar esta fase en el proceso de individuación: "...the primary loss at [this] stage... concerns a complete individual who makes himself independent by this very act" *(The Origins,* p. 117).

[69] "The light whose significance for consciousness we have repeatedly stressed is the central symbol of the hero's reality" (Ibid, p. 160).

[70] Tal como ha sido observado por Edward F. Edinger: "the Christian myth presents us with images and attitudes pertaining to the individuation process which is specifically a task of the second half of life. At this phase of development, the image of the suffering deity is immensely pertinent." *Ego and Archetype: Individuation and the Religious Function of the Psyche* (New York: Penguin Books, 1972), p. 153.

La introspección de Gregorio no puede considerarse de ningún modo ajena al credo marxista, únicamente significa el rechazo del P. C. M. como autoridad oficial del pensamiento histórico materialista en México. Kolakowski, iconoclasta comunista, uno de los más enérgicos representantes de la postura revisionista, invoca a su vez esta actitud ética individualista:

> We wish to emphasize we are concerned with *moral* responsability... It is not true that the philosophy of history determines our main choices in life. Our moral sensibility does this... A practical choice is a choice of values; that is, a moral act which is something for which everyone bears his own personal responsability.[71]

En *Los días terrenales,* el retorno del héroe no se verifica, volver al mundo anterior despreocupado del aspirante a artista es irrealizable dada la transformación que su vida ha sufrido, permanecer en la vida inauténtica es aún más absudo. Por eso para Gregorio no hay regreso posible. El héroe ha adquirido la sabiduría necesaria para salvarse espiritualmente, su actitud es de esperar, puede convencer a otros:

> ...pues si él era capaz de desprenderse de uno de esos bienes supremos inalienables —así se trate de la salud, del amor a una mujer u otra cosa semejante, el hecho en sí mismo no importaba— ...entonces esto indicaba que otros hombres, otros seres humanos como él —y el ser humano en general—, podrían consumar también ,en el orden de cosas que fuese, los desprendimientos absolutos, las renuncias absolutas, que harían del hombre el ser humano por excelencia, el ser más orgulloso, doloroso y desesperadamente consciente de su humanidad. (p. 522).

El héroe ve en su sacrificio la oportunidad de ofrecer una alternativa a los hombres.

[71] Leszek Kolakowski, filósofo polaco, es el más ardiente expositor de una corriente que intenta conciliar marxismo y existencialismo. Su colección de ensayos —escritos entre 1956 y 1959— ha sido publicada bajo el título de *The Individual Without Either-Or: On The Possibility and Impossibility of Being a Marxist,* en *Existentialism versus Marxism. Conflicting Views on Humanism,* George Novack, Editor (New York: Delta, 1966) pp. 294-295.

La aventura lo ha llevado a una convicción de propósitos qu
puede resultar beneficiosa a la colectividad. De allí su papel d
pharmakos o víctima propiciatoria, que debe sacrificarse para salva
a una sociedad que se encuentra espiritualmente enferma.

José Revueltas hace uso del mito en *Los días terrenales* en un
doble capacidad, deliberada, irónicamente, magnificando y trastocan
do la realidad para hacer patente los males que aquejan al mund
comunista mexicano en todos sus sectores: indios, obreros, dirigente
y pseudointelectuales.[72] La necesidad de una regeneración espiritua
es dramatizada en la condición trágica del protagonista cuyas viven
cias se conforman a la correlación estructural del héroe mítico. E
esta dimensión la mitificación de Gregorio, es, creemos, ajena a l
intención premeditada del autor.

---

[72] En la ya citada entrevista con Luis Mario Schneider, Revueltas refuta
algunas de las afirmaciones hechas por James Irby y ratifica su crítica al
partido: No se trata pues en *Los días terrenales* de que yo introduzca de
trasmano mi 'desesperanzada y morbosa filosofía'. Son los personajes de *Los
días terrenales* (y los militantes comunistas en México) quienes se condenan
por sí mismos a esta desesperanza... pues no son capaces (hasta donde
Los días terrenales pudo tomarlos como novela que no podía inventar una
nueva e inexistente etapa histórica superior del partido comunista en México)
no son capaces, repito, por carecer de la audacia y el arrojo necesarios de
liberarse de la contradicción en que viven superándola mediante el ejercicio
completo de su conciencia, como los marxistas verdaderos que tampoco han
podido ser. ("Después de 12 años...", 2).

CAPÍTULO III

EL LUTO HUMANO

Estructura mítica del héroe

En su segunda novela, publicada en 1943, Revueltas ofrece un panorama vasto y ambicioso en cuanto a material mitológico y arquetípico. El mundo que confronta el lector es tenebroso, hostil. Su realidad ofrece visos de carácter alucinante, mediante la visión de trasfondo mítico. Esta visión mitificante contribuye a la caracterización de los personajes, desempeña un papel básico en la estructura, y sirve de marco expositorio a los temas fundamentales. Este capítulo se propone analizar una estructura doble: 1) la aventura mítica del héroe, y 2) la presencia continua del arquetipo femenino. Esta estructura dual contribuye fuertemente a la unificación temática de la obra. A ella se supeditan los varios recursos utilizados por el autor: uso pródigo de referencias míticas, incorporación de mitemas, ritos, imágenes y símbolos arquetípicos en una doble dimensión, local y universal. Este substrato se nutre copiosamente de las mitologías indígenas de México, de la judeo-cristiana y en menor grado de la clásica griega.

La fábula es sencilla. Chonita, la pequeña hija de Úrsulo y Cecilia, muere. Es una noche tormentosa, cuando Úrsulo atraviesa el río en busca del cura. Su enemigo mortal, Adán, lo acompaña. En el camino de regreso, el cura mata a Adán. El río se desborda. Todos se dirigen a casa de Úrsulo y Cecilia, donde se vela a la niña. La casa se inunda y se ven obligados a emigrar en busca de un promontorio en el que refugiarse. Después de caminar a la deriva por largo tiempo descubren que no se han movido del mismo lugar. Los cuatro sobrevivientes se suben a la azotea en la que permanecen tres días. Una banda de zopilotes que se cierne aviesamente sobre el grupo finalmente se lanza a devorarlos.

El autor recurre a la presentación de dos personajes protagonistas consecutivos. El primero, Natividad, líder marxista, preconiza el sistema de valores postulados en la novela. A su muerte, Úrsulo, inspirado por la magia de su personalidad, asume su posición, sus motivos son personales y egoístas. Úrsulo carece de las cualidades que distinguen a Natividad, no es generoso ni valiente, aun en su aspecto físico es raquítico y repulsivo. Úrsulo no está politizado, no es ni un redentor social ni un reformador revolucionario. Como falso héroe no cumple con los atributos de éste y por el contrario conduce a sus gentes a la destrucción y a la muerte.[1]

La intención del autor es proclamar su indignación con una sociedad que produce individuos fragmentados psicológicamente, carentes de valores espirituales e ideológicos. Empeñados en satisfacer sus íntimas demandas personales dan rienda suelta a sus pasiones y agresividad, sin respeto por la vida humana ajena. Estos hombres son incapaces de trasponer sus propias limitaciones. Úrsulo es el resultado sintomático de su circunstancia histórica y de su país. El hombre nuevo con las características morales e ideológicas apetecidas, está fervorosamente representado por Natividad. De él se copian los signos exteriores, pero la médula, lo fundamental, permanece ignorado. Por medio del contraste entre los dos personajes se expresa el rechazo de los valores existentes y la urgencia en instaurar una nueva ética que rescate a la sociedad de su marasmo vital.

Natividad

A continuación se transcribe un párrafo de Frye que es indispensable para la intelección de Natividad:

> The first phase of tragedy is the one which the central character is given the greatest possible dignity in contrast to the other characters, so what we get the perspectve of a stag pulled down by wolves. The sources of dignity are courage and innocence...[2]

[1] Jung, *Man and His Symbols,* p. 79.
[2] Frye, *Anatomy,* p. 219.

Natividad se realiza como héroe de *romance,* magnificado a la luz del mito,[3] es una mezcla del héroe "extrovertido" y del héroe "introvertido" que describe Neumann.[4] Es definitivamente superior al resto de los personajes y a su contorno ambiental, capaz de portentos de valor y sufrimiento increíbles. Especie de redentor que viene a iluminar a la humanidad, encarnación del orden, la fertilidad y el vigor, se enfrenta a Adán, su enemigo mortal, que se vincula con los aspectos negativos que caracterizan el mundo demoniaco: confusión, tinieblas, esterilidad y muerte.[5]

El mundo en el que se encuentran emplazados no participa de las modalidades propias del *romance.* Aunque figuran en ella zopilotes que piensan, el héroe no posee talismanes de poderes mágicos, la búsqueda no culmina victoriosamente ni triunfa la fecundidad sobre la esterilidad.

[3] Se usa el vocablo *romance* con restricciones, en el aspecto que le adjudica Frye:

> The essential difference between novel and romance lies in the conception of characterization. The romancer does not attempt to create "real people" so much as stylized figures which expand into psychological archetypes. It is in the romance that we find Jung's libido, anima, and shadow reflected in the hero, heroine, and villain respectively. That is why the romance so often radiates a glow of subjective intensity that the novel lacks, and why a suggestion of allegory is constantly creeping in around its fringes. Certain elements of character are released in the romance which make it naturally a more revolutionary form than the novel. The novelist deals with personality, with characters wearing their *personae* or social masks. He needs the framework of a stable society... The romancer deals with individuality, with character *in vacuo* idealized by revery, and however conservative he may be, something nihilistic and untamable is likely to keep breaking out of his pages. (*Anatomy,* pp. 304-05).

Es únicamente bajo esta luz que Natividad puede justificarse como personaje. No extraña encontrar que a los ojos de O'Neill: "The reader never meets him as a real character... The extreme idealization of Natividad inherently mars his characterization... So obvious is Revueltas' attempt to portray Natividad as the Marxist savior of the masses that, at times, his presentation borders on the absurd" ("Psychological-Literary Techniques in Representative Contemporary Novels of Mexico". Ph. D. diss. University of Maryland, 1965, p. 59).

[4] Neumann, *The Origins,* p. 220.

[5] Frye, *Anatomy,* pp. 147-148.

La vida de Natividad deja una estela luminosa, imperecedera, en la vida de todos aquellos que entran en su órbita, pero en especial determina el futuro de Úrsulo y Cecilia. Natividad, héroe solar mítico, aparece enmarcado en las escasas escenas claras y refulgentes que se destacan en vivo contraste con el tono sombrío y agobiante que impera en la novela.

La tragedia mezcla el elemento heroico con el irónico y requiere que la caída del héroe se haga ineluctable. La caída de Natividad, y por consiguiente la del usurpador Úrsulo, está determinada desde antes de la llegada de aquél al sistema de riego. Frye explica que la ironía está arraigada en el realismo, pero a medida que se desarrolla se desvía hacia el mito:

> ... and dim outline of sacrificial rituals ... begin to reappear in it ... This reappearance of myth in the ironic is particularity clear in Kafka and in Joyce ... However, ironic myth is frequent enough elsewhere, and many features of ironic literature are unintelligible without it ... When we look at it as ironic myth, a story of how the god of one person is the pharmakos of another, its structure becomes simple and logical.[6]

Natividad no hace su entrada en la novela hasta bien avanzada su lectura y es presentado a través de los recuerdos de otros personajes y magnificado en la perspectiva del narrador. Aunque la vida de Natividad se presenta esquematizada, la presencia de los mitemas correspondientes a la segunda etapa de la aventura del héroe, a saber: el viaje, la experiencia de la noche, el laberinto, muerte-resurrección, huida y persecución son evidentemente discernibles.

Natividad se traslada al campo, posiblemente de la capital, su viaje no tiene por objeto realizar un cambio radical en su propia vida, por el contrario, portador de un mensaje de proporciones vitales, él tiene una misión que cumplir. Va a compartir sus conocimientos con seres menos afortunados que él, a tratar de redimirlos, a salvarlos de la explotación. Es guía y líder iluminado. Su propósito es instruir a los trabajadores, inducirlos a organizar un sindicato.

A su llegada al sistema de riego Natividad, desorientado, se tro-

6 Ibid, pp. 42-43.

pieza de improviso con Adán. De inmediato se pone de manifiesto
la cordialidad y abierta franqueza de Natividad, a cuyo encanto ni
Adán puede sustraerse. Natividad inquiere por Jerónimo, con quien
ha de colaborar en la empresa. Es importante observar que el tono
mismo de Natividad al pronunciar el nombre otorga al humilde jor-
nalero categoría de ser humano "dignidad legítima, inalienable estirpe", lo cual realza la degeneración de este mundo.[7] La superioridad de Natividad también se revela en su "poder de sugestión",
"un vigor desconocido" y "la fuerza, la honradez, la rotundidad humana". Físicamente tiene una "mirada profunda", un "rostro
precioso, noble", "una sonrisa franca, ancha, magnífica", frente a
los demás personajes endebles, famélicos y feos. Llama la atención
del lector que el héroe vaya montado en un jamelgo que "era como
un ser humano lleno de resignación para el sufrimiento, flacas las
piernas y huesuda, cadavérica, la frente". El uso de prosopopeya es
parte de la ironía, pues pone de relieve nuevamente la degradación
de este mundo en que los animales están al mismo nivel que los
hombres. En esta escena el trabajo entona su "viril sinfonía" y los
campesinos tienen voces "llenas de poder y volumen". Sin embargo
se percibe la premonición del cataclismo, ya que en el zumbido de
los tractores "se antojaba a la vez que... había cierta cosa guerrera,
como si las ametralladoras estuvieran tableteando bajo la concavidad
del cielo...". El símil manifiesta que en el ambiente hay algo fu-
esto aletargado bajo una apariencia risueña y tranquila.

Natividad viaja con su inesperado compañero por veinticinco ki-
lómetros. Adán le informa de los métodos de cultivo de la región;
observando la calidad de la tierra y las condiciones del agua, Natividad comprende que si no se toman ciertas medidas "la vida de la
nidad tenía el tiempo contado". Este viaje es importante, pues
la personalidad de Natividad deja una huella imborrable en la mente
de Adán que va a tener repercusiones en su conducta ulterior y en
cuanto a la aventura del héroe suministra material para los mitemas
indicados con anterioridad. Todos estos pasos se llevan a cabo en el
contexto de una anécdota que Natividad relata a Adán. Todos los
mitemas se exhiben íntimamente mezclados. La experiencia de la

[7] Todas las citas de este capítulo corresponden al Tomo I de su *Obra
literaria*.

noche es al mismo tiempo el encuentro con el personaje diabólico,
que representa las fuerzas negativas de la Revolución. El capitán
es visto como poseedor de un

> rostro fino, bien hecho, pero carente de nobleza; aquellos labios del-
> gados como la hoja de un puñal; las mejillas sin color, los ojos... con
> capacidad para las cosas crueles y frías... De todas maneras era di-
> fícil penetrar en el yo íntimo del hombre, en sus designios. ¿Mentía,
> amaba, odiaba. era capaz de sufrimiento? Imposible responder. (p. 291).

Hombre enigma, los ojos son los que impresionan a Natividad,
"ya había visto, en otro lugar, aquella mirada súbita; los párpados
indiferentes y fríos, sin alma,...". La narración cobra visos fantás-
ticos y se realiza durante la Revolución. Por diez días de "absurda
pesadilla", las tropas revolucionarias caminan sin descanso buscando
al enemigo sin encontrarlo. Natividad y el capitán se alejan, sin
destino, solos en el Overland. Cae el crepúsculo cuando Natividad
escucha un alarido que lo paraliza de miedo y ve "un fuego diabólico" en los ojos de su superior. Natividad se da cuenta que el capitán es el traidor quien ha estado proporcionando información al
enemigo. El capitán no logra su propósito de matarlo; de la pistola
no brota la descarga mortal pues carece de munición. Reina una
soledad avasalladora, "No los rodeaba horizonte ni tiempo", la trascendencia del momento los conduce a una anulación de la realidad
circundante, espacial y temporal, la cual otorga a la escena calidad
mítica. A pesar del pavor que siente, Natividad se sobrepone y toma
prisionero al capitán en una noche alumbrada por "varios millones
de estrellas". El paralelismo bíblico surge con la referencia a la
imposibilidad de perderse "como no se perdieron los tres Reyes, ni
la virgen María ni el niño Jesús, cuando la huida de Egipto...".
Esto caracteriza a Natividad como a un ser escogido, cuya misión
alcanza una dimensión mesiánica. La situación se torna de pronto
opresiva, el campamento al que han vuelto ha sido abandonado y
ellos, sin gasolina, vagan perdidos, "Fue un caminar como si hubieran ocupado la luna y erraran sobre apagados cráteres y árboles de
cal y una tierra hueca". La situación se invierte; Natividad es a su
vez perseguido por los federales, a los que se ha unido el capitán,
y anda perdido por tres días hasta que encuentra de nuevo la Re-

volución. Este aislamiento del héroe en el desierto, y su consiguiente liberación, puede considerarse como el renacimiento simbólico del iniciado, es decir parte fundamental del mito de la aventura del héroe. En algunas tribus la vigilia iniciática dura tres días y no es tanto la supervivencia física la que importa, sino comprobar la fortaleza del espíritu.[8] Estos mitemas no están extensamente elaborados, pero sirven para reafirmar la superioridad moral de Natividad y provocan el asombro y el respeto a Adán. Esta coyuntura hace resaltar la disparidad entre la actitud vital de Natividad y la de otros personajes —Adán, Calixto— frente a la Revolución. Natividad no es un héroe guerrero, no disemina la muerte en el campo de batalla, las labores que desempeña son pacíficas, actúa como secretario, atiende a los heridos y a las parturientas, es un hombre "útil".

La Revolución vista desde la perspectiva de Natividad es fuente de vida, una fuerza creadora, de ella podrían "nacer los hijos, las casas, la tierra, el cielo, la patria entera". En cambio para Adán, como para Calixto, es un modo de satisfacer las ambiciones personales, una fuente ilimitada de poder. Adán al oír sorprendido las palabras de Natividad piensa:

> El no podía decir nada de la Revolución, que era apenas un desorden y un juego sangriento. La guerra, a lo sumo, una manera de buscar la sangre, de satisfacerla, y que carecía de cuerpo y de propósitos, tal vez únicamente los de ejercitar resortes secretos del hombre, sus celos, su resentimiento, su extraordinaria y sorprendente barbarie, su carencia de todo... Pero Adán no podía decir nada. *Su* revolución era otra. (p. 302).

El narrador hace énfasis en este aspecto destructor:

> Porque era la suya una revolución elemental y simple... Era correr por el monte sin sentido. Era pisotear un sembrado. Exactamente pisotear un sembrado. Los surcos están ahí, paralelos, con su geometría sabia y graciosa. Son rectos y obedecen a esa disciplina profunda de la tierra que les exige derechura, honradez, legitimidad. Míraseles su extensión como una malla sobre el humus y la vida que late, ordenando el crecimiento. Obedecen a un designio, a una voz plena y poblada de materias, que desde abajo decreta el milagro de la comunión con

[8] Eliade, *Mito y realidad,* pp. 147-48.

las cosas del aire, para que el pan se dé entonces como un hijo y encuentre casa la espiga y el sudor levante su estatua. Pero el odio demanda también su establecimiento y pisar un surco conviértese en una negación fortalecedora. Entonces se desata el hombre como un animal oscuro cuyo goce simple se compone de la desolación y el caos. Tiene el alma un poder furioso y una impureza avasalladora que se desencadenan libres y sin freno. La destrucción erige su voluntad y adelante no hay nada, pues la ceguera lo ocupa todo y hay un insensato placer en que el sembrado se convierta en pavesas y la semilla se calcine. La Revolución era eso: muerte y sangre. Sangre y muerte estériles... (pp. 304-05).

Largo párrafo que contiene el mensaje que el escritor repite una y otra vez en su ficción, la ceguera del hombre y el predominio de la Sombra en el hombre contemporáneo que se hace patente en la guerra, en la Revolución sin ideales, en el asesinato fratricida.

En el segundo encuentro entre Adán y Natividad la presencia de éste en la visión exaltada de Adán, se destaca bajo una luz "como sólida y viva"... "y Natividad caminando era de una extraña estatura, justamente armónica y proporcionada". En marcada divergencia con la tonalidad lóbrega y aciaga que predomina en la novela, resaltan los colores vitales, la luz solar, el paisaje maduro. Adán en este momento crucial se siente incapaz de sacar su pistola, "entidad muerta e inútil". Natividad sabedor de sus intenciones le advierte que solamente a traición podrá matarlo. Su naturaleza sobrenatural es recalcada por Adán, "Aun disparando, las balas no podrían tocar a este hombre, e incluso tocándolo no le causarían daño alguno, potente como era y confiado". Experiencia nueva para Adán es el terror que le inspira la idea de matarlo, "no por el peligro que entrañara, sino tan sólo porque tenía que habérselas con un espíritu vigoroso y lleno de fortaleza". La idea de la inmortalidad de Natividad es repetitiva y adquiere fuerza de *leitmotif*. "Parecía como si se enfrentase a un ser inmortal...". En el ambiente mismo se percibe algo diferente, "como que anunciaban un cambio en la vida". Natividad se pierde en el horizonte bajo una "luz purísima" y Adán sufre una experiencia extraña donde la luz y las tinieblas cobran un lugar claro y preciso:

Reemprendió la marcha en sentido opuesto al que había tomado Natividad y de esta suerte, el sol que ya comenzaba a caer, quedó a sus espaldas. Un fenómeno singular se desarrolló entonces ante su vista. Los rayos del sol, cayendo sobre las pequeñas y lejanas casas de enfrente, dábanle extraordinaria perfección y plasticidad, como si atrás de ellas fuese a nacer la aurora. De un golpe perdía el crepúsculo su sitio, y un amanecer increíble, en el lado opuesto a donde el sol caía, alteraba las nociones. Caminar con el sol a la espalda era, paradójicamente, ir a su encuentro, y el hombre podía seguir este espejismo insensato, dirigiéndose, no a su salvación, sino a las tinieblas; no al día sonoro y creador, sino a la noche del miedo y la ceguera, pero creyendo siempre ir en busca de la luz. (p. 268).

Esta descripción del camino que toma Adán viene inmediatamente después de murmurar en voz baja, para asegurarse, su decisión de matar a Natividad a traición, "Sí, solamente así". Y el narrador explica que al adquirir Adán la convicción de que Natividad es vulnerable y el modo de hacerlo es por medio de la traición, su espíritu se queda tranquilo y confiado, sus temores se calman:

Como no iba a creer, entonces, que tras de las casas ,pese a la hora del crepúsculo, saldría el sol, un vespertino sol auroral, que elevaríase majestuoso y solitario, si su alma se encontraba plácida ya y dispuesta como nunca a cualquier prodigio. (p. 268).

Este simbolismo denota la asociación de Natividad con el principio activo de vida, la energía y los atributos solares: reflexión, buen juicio y voluntad.[9] El héroe es identificado con el sol, informa Cirlot, porque el astro se asocia con la derrota del mal y la obscuridad.[10] Por otro lado la luz es el símbolo fundamental de la realidad heroica puesto que el héroe es poseedor de una conciencia superior. Adán al tomar partido y dictar la sentencia de muerte de Natividad se dirige hacia el oeste, donde el sol es devorado por el vientre de

---

[9] Cirlot, *A Dictionary*, p. 303.
[10] "Every heroic characteristic finds its analogy among the virtues necessary to vanquish chaos and overcome the temptations offered by the forces of darkness. This explains why, in many myths, the sun was identified with the hero *par excellence*", Ibid, p. 141.

la tierra, lugar ominoso, donde reinan las tinieblas, el inconsciente y la muerte.[11]

Adán

La traición, simbolizada por Judas, es un motivo típico en la estructura del héroe mítico. Este motivo singulariza el hecho de que la envidia ahoga a la humanidad y es objeto de preocupación por parte del autor.[12] Adán-Judas-Caín después de vagar taciturno por unas "tinieblas magníficas" va a arrodillarse temeroso a los pies de "la Borrada". Ella, la clarividente, adivina sus intenciones y con una voz que viene desde el fondo de los tiempos, lo exhorta a que no mate a Natividad. Pero ya "Estaba escrito que Natividad muriera. Estaba escrito que esa noche... Todo eso estaba escrito...". Natividad muere "crucificado" esa noche de profunda negrura. Al bajar Natividad a su morada de tierra, "la Borrada" exhalta un grito agudo y huye comprendiendo súbitamente "quién sabe qué cosas diáfanas y sin clemencia", para conminar a Adán a escapar "con un deseo furioso de salvación, arrepentimiento prodigioso".

Adán, asesino mercenario de su propia raza, siente vibrar las cuerdas más íntimas en su trato personal con el líder marxista. Desde su implicación personal en la muerte de Gabriel un nuevo sentimiento lo hace comprender su carencia de albedrío. Poco después tiene lugar su confrontación con Natividad. Algunos de los motivos concurrentes a los mitemas correspondientes a la segunda etapa de la aventura del héroe, se transvasan de Natividad a Adán. Las indicaciones exteriores más obvias en el período de iniciación son las del progresivo descubrimiento de una nueva forma de vida, de valores desconocidos, generalmente acompañada de las consabidas frases, por primera vez... etc. El mestizo se enfrenta a un tipo de persona desconocido hasta entonces para él. Su reacción al escuchar a Natividad avanza de la curiosidad hasta la estupefacción. "Adán escuchaba con verdadero asombro..." "algo fabuloso". Al matarlo a traición "hubo

---

11 Neumann informa, "In Mexico, too, the west, as its symbolism shows, is associated with the unconscious" (*The Great Mother,* p. 187).
12 Jung, *Symbols of Transformation,* p. 30.

algo extraño y único que nunca había ocurrido en el alma de Adán". Comprendiendo que la muerte de este hombre "nuevo" es diferente a todas las anteriores, de que su propia vida ha tomado un rumbo diferente, se pone "Triste, por primera vez en su vida...". Porque Adán ha aprendido a sentir respeto y admiración por otro ser humano, pero a la vez esto acarrea miedo e impotencia frente a lo que Natividad representa, "como si... fuese poderoso y múltiple, hecho de centenares de hombres y mujeres y de casas y voluntades". Otros motivos que aparecen en esta segunda etapa convergen en la figura del antagonista, el sentimiento de infinita soledad que felizmente se resarce con el motivo del amor. El llanto anómalo en "la Borrada", mujer sobria e impenetrable, "conciencia fija... pacto profundo" causa estupor en Adán y lo lleva a descubrir el amor. De nuevo una sensación desconocida lo invade, esta vez "dulcemente, maravillosamente. Por primera vez en su vida sintió ternura, felicidad, un abandono confiado". Este descubrimiento de amar y ser amado va teñido de gran dolor, tristeza y temor, un largo camino de expiación se abre hacia el porvenir. Adán-Judas-Caín, asesino del justo Abel, vislumbra un cambio radical en su existencia, "«Ya no soy el mismo», díjose...", "como si un cuchillo de luz le hubiese herido el alma". Nuevamente reaparece la luz como símbolo del nivel superior de vida. El asesinato de Natividad fortifica la recién adquirida conciencia que lo hace responsable de sus crímenes y, como su antepasado primogénito, descubre su desnudez y vulnerabilidad.[13] La pareja edénica con la señal del crimen sobre la frente huye a esconderse. Así se explica que Adán sin conexiones con la tierra ni el sistema de riego escoja permanecer en el yermo solitario con las otras tres parejas después de la hégira del pueblo. La analogía bíblica se reafirma, "un ojo absoluto se estableció para perseguir a Caín. Y Caín miró este ojo en todas partes, pero sobre todo en su soledad". El primer acto libre de Adán consiste en su reconocimiento del bien y del mal. El segundo es la opción de no matar a Úrsulo, a pesar de la fuerte tentación que lo asalta. "No quiero

---

[13] Ortega observa este cambio que ocurre en Adán: "Es el caso de una conciencia que le conduce a una transformación mental, antes presentida, llevada a efecto finalmente con el asesinato de Natividad" ("The Social Novel...," p. 110).

matarlo —dijo—. No lo mataré,... refiriéndose a la encomienda trágica que le dieran con respecto a Úrsulo". Oportunidad que el mismo Úrsulo prohija en el viaje por el río, la noche del velorio. Cuando Úrsulo tambaleante toca a la puerta de Adán, la actitud de éste confirma su inseguridad y temor, no obra como en ocasiones anteriores. Antes de salir abandona el machete, su siniestro compañero, su hoja de parra, la señal de su autoconciencia, de su culpa. Por otra parte se muestra temeroso de Úrsulo, y resignado, "Vienes a madrugarme; anda, pues —le dijo a Úrsulo sin moverse de su sitio, ajeno, como si hubiera pronunciado otras palabras". Cuando Úrsulo le explica su desorientación, Adán insiste, "Creí que venías a matarme... Me dio un poco de miedo...". En "La Cautibadora" [sic] la tensión entre los dos aumenta con la soledad y la tormenta. Después del incidente en que Úrsulo le salva la vida y embargado por el odio, el miedo y el agradecimiento, le grita "Podría matarte ahorita —gritó—, pero no quiero...". Irónicamente en el viaje de regreso es el cura quien descarga "la bestial puñalada en el cuello" de Adán, y no Úrsulo.

Adán hace irrupción en la novela como personaje maldito, descrito con los más sombríos tintes. Su papel de asesino asalariado sirve para poner de manifiesto una realidad nefasta nacional, la del caciquismo, en las figuras del gobernador y las autoridades locales, criminales que gozan de privilegios y fueros. En los pensamientos del cura aparece como "Hombre extraño éste que se le presentaba con su simplicidad, su dureza suave, su exactitud. Era imposible conocerlo —y hasta de oídas resultaba irreal, mitológico—, fuera de cierta cosa vaga y siniestra". El mismo cura comprende su propio parentesco moral con Úrsulo y Adán, se da cuenta que "algo duro e incomprensible lo ataba a ellos, como si le hubiesen abierto un profundo vacío en el corazón". La regeneración de Adán por lo general pasa inadvertida al lector, se diluye sepultada en la abrumadora destrucción que ha sembrado a su paso. Natividad logra penetrar esta muralla hecha de "impotencia... indiferencia cálida... y apatía activa" e imprimir su huella luminosa en esta alma tenebrosa y bárbara.

Úrsulo

Úrsulo es atraído fatalmente por la magnética personalidad de Natividad y por el hecho de que Cecilia, mujer a quien él ama, a su vez ama al líder. Con su muerte Úrsulo se siente embargado por emociones conflictivas, complacencia por su desaparición, pero simultáneamente un compulsivo afán de emularlo, de "cumplir sus propósitos, sus ideas, hasta las consecuencias últimas, por más desabelladas y absurdas que fuesen. De esta manera al fracasar la huelga, Úrsulo se empeñó en seguir por su parte". Úrsulo, carente de ideología, sin inquietudes sociales ni políticas, sin metas ni propósitos, pero con una obstinación tenaz de arrogarse el amor de Cecilia y la aureola de Natividad, se instaura como su sucesor. En este papel se convierte en *alazón*, en su aspecto de impostor, en tanto que pretende ser lo que no es y no conociéndose, se autoengaña. Pero es al mismo tiempo un *eiron*, es decir, aquel que precipita el cataclismo en la tragedia, y en la ironía es el substituto del héroe, cuya característica fundamental es la ausencia del elemento heroico.[14]

De acuerdo con Lord Raglan las circunstancias que rodean el nacimiento del héroe son siempre especiales, lo que Campbell confirma señalando que los creadores de mitos y leyendas no se conforman con que el héroe sea un simple ser humano y por lo tanto existe tendencia a atribuirle características extraordinarias desde que es concebido.[15]

Úrsulo es hijo de la diosa Tonacacíhuatl, Señora de Nuestra Subsistencia, de la que se nos dice que había dado a luz un cuchillo de obsidiana del cual brotaron mil seiscientos semidioses que poblaron mundo, y a su vez de Itzpapalotl, diosa de la obsidiana que murió de parto.[16] Entre los antiguos mexicanos era práctica común que las mujeres que así morían se convirtieran en diosas y sus cuerpos mismos eran considerados con propiedades mágicas, iban a la casa del sol, y se les rendían los mismos honores que a los guerreros muer-

14 Frye, *Anatomy*, p. 39; pp. 228-365.
15 F. R. R. S. Raglan, *The Hero: A Study in Tradition, Myth and Drama* (London: Watts and Co., 1949), p. 179; Campbell, *El héroe*, p. 285.
16 Neumann, *The Great Mother*, p. 196.

tos en acción.[17] Dentro de este contexto Antonia, madre biológic
de Úrsulo, se identifica con Tonacacíhuatl e Itzpapalotl. El nacimier
to de Úrsulo alcanza características extraterrenales propias del hérc
tradicional. La ironía se crea en el siguiente párrafo: "Extraño qu
nada más se llamase Antonia, sin otro nombre. Antonia a seca
como un animal que pareciera no tener origen. Antonia porque er
indígena, algo así, evidentemente, como un animal, pues ni españo
sabía". La asociación de Antonia con las diosas pone en una per
pectiva destacada la situación desvalida e inferior del indio. Lc
abuelos de Úrsulo sufriendo las injusticias del gobierno del dictadc
Porfirio Díaz, el padre de Antonia muerto en un levantamiento pa
proteger sus intereses, la familia perseguida, la madre asesinad
Antonia —niña huyendo de la violencia con otros indios, a la post
diezmados por la enfermedad y el hambre. Su arribo a la próspe
hacienda de "La Abeja" donde el hacendado blanco la impregn
"La existencia de Antonia estaba rodeada por la muerte, hecha pc
la muerte... estaba hecha por la muerte: la muerte de los suyos, '
muerte de su tiempo...".

El cuchillo de obsidiana como instrumento mágico procedente d
cielo, símbolo de vida y muerte, está conectado con el arquetij
de la *Magna Mater*. El cuchillo es idéntico a la mazorca de maí
aunque su aspecto funesto persiste, pues el acto de arrancar las hoj
equivale al acto de arrancarle el corazón a la víctima.[18] En los mit
y rituales aztecas muerte y vida se manifiestan en estrecha depen
dencia una de otra.[19] Es pertinente insistir en el significado d

[17] F. Bernardino Sahagún, *Historia general de las cosas de Nueva I
paña* (México: Porrúa, 1969), I, 49; y II, 179-83. Véase también Migu
León Portilla, "Mythology of Ancient Mexico," *Mythologies of the Ancie
World,* ed. Samuel Kramer (Chicago: Quadrangle Books, 1961), p. 463.

[18] Neumann, *The Great Mother,* p. 191.

[19] La Guerra Florida tenía como propósito fundamenatl obtener prisi
neros de las tribus circunvecinas para sacrificar en honor de sus dios
"Combining the idea of war and the conquest of peoples with their pri
mission of preserving the life of the sun and of this fifth age, the Azte
aptly fused their drive for martial superiority with the supreme —alm
mythic— religious image of themselves as the chosen people and cosm
collaborators of the deity" ("Mythology of Ancient Mexico," p. 463).
lo cual cabe añadir la información que suministra Neumann: "The crue
of the Mexican rites, which were thought to guarantee the fertility of t
earth but also to reinforce masculine, solar, conscious life, expreseed the masc

uchillo de obsidiana en su relación con el rito del sacrificio humano, cuchillo ceremonial, instrumento de muerte. El título de la
versión en inglés de esta novela, *The Stone Knife,* da fe de la importancia que se confiere a este objeto simbólico, dimensión que se
transfiere a Úrsulo y se revela como propia de su personalidad. Su
naturaleza feroz y traicionera es reforzada con la doble alusión bíblica y azteca:

> Su madre murió al darlo a luz y una antigua leyenda del país
> contaba de la diosa indígena que pariera desde el cielo un cuchillo de
> obsidiana. Al estrellarse, de las astillas negras y relucientes del cuchi-
> llo había nacido la primera pareja humana, y de la primera la segun-
> da, y de la segunda la tercera, hasta hoy. Abraham engendró a Isaac,
> Isaac engendró a Jacob, Jacob engendró a Judas y sus hermanos.
> Úrsulo era hijo del cuchillo de obsidiana y su madre la diosa misma,
> una joven diosa. (pp. 219-20).

Otra vez se insiste en esta capacidad para perpetuar la crueldad,
legada por el conquistador español. A la muerte de su padre, don
Vicente, ahorcado por los revolucionarios, Úrsulo reacciona dura-
mente. "«Está muy bien», dijo, sintiendo su corazón como un cuchillo
enamoroso, él, hijo del cuchillo primero". Úrsulo simultáneamente
encarna el mito adánico y por consiguiente es, con Adán, el portador
del germen y los síntomas de un mundo de valores en crisis. Todos
estos elementos míticos y simbólicos llevan en sí un lastre de carácter
negativo, son emisarios de formas de vida bastardas y un orden de
valores extraviados. La traición, la avaricia y el egoísmo no son
privativos de Úrsulo y Adán. Todos los personajes participan de
esta naturaleza envilecida: Calixto, el cura, Cecilia, e incluso Marcela misma, acaban por ser absorbidos por el ambiente viciado que
respiran. Cecilia atribuye esta declinación moral que percibe inva-
diéndola a "...la absurda convivencia en aquel sitio de abandono
a que los obligara Úrsulo a todos. Culpables, también, la miseria y el
sufrimiento". Es decir, es el ambiente de degeneración y las circunstancias ineludibles que configuran a los personajes.

En la historia de Úrsulo —pseudohéroe— cobran preeminencia
cuatro mitemas correspondientes a la segunda etapa de la aventura

line consciousness' dread fear of being swallowed up by the feminine dark
aspect of the unconscious" *(The Great Mother,* p. 186).

del héroe mítico. Uno de ellos constituye uno de los motivos más
frecuentes en la novela contemporánea de Hispanoamérica, nos referimos al mitema del viaje.[20] Los otros son el encuentro, la caída
o descenso a los infiernos y el laberinto, de los cuales puede decirse
que son la médula de la estructura mítica y por ende de la novela
misma. Estos mitemas no se dan en una forma articulada y en
secuencia, sino que aparecen fragmentados y entremezclados y ponen
de relieve el relajamiento del mundo y la ineptitud e ilegitimidad del
pseudohéroe. Úrsulo y sus seguidores se revelan como prisioneros deba-
tiéndose en un mundo laberíntico de frustración y miseria.

El llamado a la aventura tiene lugar en el momento en que el
personaje despertador, Natividad, convence a Úrsulo de la necesidad
de unirse a la huelga. Hasta entonces Úrsulo se había declarado en
contra del movimiento, basta que Natividad le hable para conven-
cerlo de su miserable condición de pequeño propietario y de que
la huelga va dirigida contra los grandes intereses. Úrsulo se deja
arrastrar por su arrolladora fuerza personal, "Cautivábale Natividad;
hubiese querido ser como él: claro, fuerte, activo, leal". Estos son
los valores y la forma de vida a la que Úrsulo aspira, inconsciente-
mente, en su pretensión imitativa del héroe. Por esto y por Cecilia,
"Sobre todo porque Cecilia lo admiraba, lo amaba. Cuando Natividad logró obtener el amor de Cecilia, esta circunstancia, en lugar
de crearle odio, merced a insospechadas reacciones, sirvió para que
Úrsulo se sintiera doblemente atraído por ese hombre". Úrsulo no
siente aversión por Natividad, puesto que se ha proyectado y com-
penetrado de tal manera con el héroe, que ante sus ojos tal relación
es legítima y deseable. Cuando Natividad es asesinado lo más natural es que Úrsulo siga sus pasos, se case con Cecilia, a quien ama
con la fuerza terca del destituido, con la firme convicción de reem-
plazar a su predecesor. Cecilia, sin embargo, le es ajena, ella amará
siempre a Natividad, ligada a él como está por la fuerza de la sangre.
Su pasividad y dependencia de Cecilia lo hacen un juguete de las
circunstancias. Resentido, el aspecto sombrío de su personalidad se

---

[20] Este motivo aparece en obras como *Cien años de soledad* de García
Márquez, *Los pasos perdidos* de Carpentier, *Cambio de piel* de Fuentes, *Los
premios* de Cortázar, y *La casa verde* de Vargas Llosa, entre las más conocidas.

podera de su vacilante voluntad. Su Sombra [21] se manifiesta en la ctividad posesiva, egoísta, destructora, como cuando aplasta el pri- er joyero de paja que compra a Cecilia o en las palabras que le irige después de su mutua entrega, cuando en un momento de uminación, los verdaderos sentimientos de Cecilia se le evidencian margamente. Úrsulo débil, paupérrimo de cariño, oscuro, es la arodia del héroe.

El cruce del umbral de la aventura se verifica en el momento en ue Úrsulo, impulsado por ese instinto de miserable desposeído, e lanza a ocupar el lugar de Natividad. Esto lo involucra en los ucesos de la huelga y origina el que, a la vista de todos, aparezca omo nuevo líder y por lo tanto señalado como próxima víctima e las ambiciones del gobernador y de la mano asesina de Adán. oco después sobreviene la ruptura de la presa y el fracaso del pro- ecto. El lugar se va despoblando, los hombres lo abandonan en usca de tierras más generosas. El infortunio y la miseria se apo- eran de nuevo del paraje, el Sistema retorna a su estadio general e yermo solitario. Y aunque la tierra es inservible, Úrsulo se em- eña con porfía en no marcharse. Confrontando a los desertores los sta a pemanecer:

—¿Qué? —dijeron ellos— ¿Vamos a comer tierra? Úrsulo reunió todas las fuerzas de su alma y de su vida.
¡Sí! —gritó.
Se bajó de su tribuna, y tomando un puñado de la tierra de sus quince hectáreas se lo echó a la boca para tragarlo.
—¿Por qué no? —volvió a gritar entre sollozos— (pp. 333-34).

A despecho de la realidad Úrsulo decide mantenerse firme y onvence a Jerónimo y a Calixto para que permanezcan con él. erónimo había iniciado el proyecto de huelga con Natividad, y

---

[21] El arquetipo de la Sombra, ya mencionado en el Capítulo II, radica n las profundidades más recónditas de la mente, y sintetiza los aspectos enos dignos del ser humano. Aspectos que nunca han salido del inconsciente por lo tanto se desconocen. Jung *(Man and His Symbols,* p. 118). En sta misma obra el autor especifica como reflejos de la Sombra "such things s egotism, mental laziness ... carelessness and cowardice, incordinate love of oney and possessions" (p. 168). Aunque Jung también reconoce que en casiones "The shadow is not wholly bad, merely somewhat inferior, childish, nadapted, awkward" *(Psychological Reflections,* p. 216).

Calixto, a semejanza de Úrsulo, es un desheredado que a su ve
se siente atraído por Cecilia. Adán-Caín y "la Borrada"-Eva ha
sido desterrados del mundo y se han amparado en el yermo, perse
guidos por el ojo de la Providencia. En la tierra muerta, infruc
tuosa, viven las cuatro familias "como perros famélicos", obstinada
estérilmente.[22]

Al no resistir la tentación de emular a Natividad, Úrsulo s
niega a aceptar la existencia de esta soberbia que no es otra cosa
que *hybris;* por el contrario, cede a este aspecto inferior y se dej
absorber por su *umwelt*.[23] En Úrsulo no existe ningún anhelo d
transformación vital, no está concientizado, ni intuye la necesida
de cambio en el sistema de valores propios ni del grupo que repre
senta, a pesar de su desmedida admiración por Natividad.[24]

La primera fase del viaje de Úrsulo y la aventura de la noch
se realizan simultáneamente, ésta a su vez se entronca con la experien

[22] Jung explica que esta situación se presenta con relativa frecuencia
"It is often tragic to see how blatantly a man bungles his own life and th
lives of others yet remains totally incapable of seeing how much the whol
tragedy originates in himself and how he continually feeds it and keeps i
going. Not consciously, of course —for consciously he is engaged in bewailin
and cursing a faithless world that recedes farther and farther into the dis
tance. Rather it is an unconscious factor which spins the illusion that veil
his world. And what is being spun is a cocoon which in the end will com
pletely envelop him" *(Aion,* p. 10).

[23] Harding usa el concepto de *Umwelt* para designar el mundo qu
cada individuo fabrica para sí y en el que sólo cuenta lo que tiene u
significado personal: "... each creature sees only what concerns himsel
for everything else he seems to be blind..." *The I and the Not I: A Stud
in the Development of Consciousness,* Bollingen Series *LXXIX* (New York
Pantheon, 1965), p. 17. Por otra parte Erich Neumann explica la actitu
que debe asumir el héroe y los peligros a que se expone si se deja llevar po
esta soberbia: "... The hero must be devout and fully conscious of what h
is doing. If he acts in the arrogance of egomania which the Greeks calle
hybris and does not reverence the *numinosum* against which he strives, the
his deeds will infallibly come to nought. To fly too high and fall, to g
too deep and get stuck, these are alike symptoms of an overevaluation c
the ego that ends in disaster, death, or madness" *(The Origins,* p. 188).

[24] De aquí que las observaciones de Ortega no nos persuadan: "Nati
vidad y Úrsulo representan la lucha revolucionaria del marxismo, al ser ambo
los que encaudillaban [sic] la huelga" ("The Social Novel..." p. 110),
"Así, Úrsulo a pesar de ser mestizo, como Adán, se transforma (al principi
no había aceptado a Natividad) en persona dinámica y positiva debido a l
admiración que posee por Natividad y a su amor por Cecilia..." (p. 147)

cia laberíntica, que se origina en la perspectiva mental del protagonista. Úrsulo sale "a la noche" para adentrarse "en un gran ojo oscuro de ciego furioso". En palabras de Cecilia el simple hecho de salir de la casa equivale "a un viaje de dimensiones súbitas". El temporal lo golpea con furia desencadenada y Úrsulo debe cruzar el río a nado para traer el cura.

Por ser la aventura mítica del héroe una estructura homóloga a los ritos de iniciación, es conveniente considerar esta experiencia íntimamente vinculada a los mitemas que constituyen aquélla. Los ritos de pasaje exigen al iniciado su aislamiento del grupo y su sujeción a las pruebas que van a templar su espíritu.[25] La experiencia por la que atraviesa Úrsulo es aterradora, entontecido se interna en el laberinto en el que oscuridad, viento, agua, arena, lamentos, todas las fuerzas naturales se conjuran para extraviarlo. Nuevamente la luz aparece como elemento positivo y consciente del hombre, en contraste con las fuerzas negativas de la noche:

> Cuando un vendaval lleva luz y es como más clara su furia, menos ciego su impulso, el corazón no se sobrepone de vacío, ni de nociones infinitas. Presiente un lejano golpe de esperanza. Pero cuando en la noche el viento se desata y sus mil cadenas baten en la tierra, el espíritu vuelve a sus orígenes, a sus comienzos de espanto, cuando no había otra cosa que tremendos anticipos de gemidos. (p. 179).

La oscuridad que envuelve a Úrsulo es física, pero es aún más oscuro el universo turbulento que gira en su cerebro. El laberinto, como se sabe, tiene como manifestación psicológica el desconcierto

---

[25] En cuanto al hecho de que un adulto se vea envuelto en una experiencia de esta categoría Jung explica: "Initiatory events are not of course, confined to the psychology of youth... the hero receives his last call to action in defense of ego-consciousness against the approaching dissolution of life in death" *(Man and His Symbols,* p. 131). Erich Neumann señala, por su parte, que "All initiations... aim to safeguard the individual against the annihilating power of the grave, of the devouring Feminine. Whether this Feminine is represented as grave or underworld, as hell or Maya, as *heimarmene* or fate, as monster or witch, serpent or darkness, does not matter... Death is in every case extinction of the individual and of consciousness as light; survival consists in proving that one belongs not to the darkness but to the world of the light" *(The Great Mother,* p. 175).

y la confusión del individuo. Úrsulo vaga ofuscado luchando contra los elementos, éstos —como México— tienen "Una manera terca y sombría de país terco y sombrío". Emergen las preguntas retóricas, "¿Qué? ¿Dónde estaba?". Tropezando, marchando al azar, se repite de continuo, "Me perdí con este norte..." "Me perdí con el norte, en la oscuridad...". Se da cuenta que su desorientación espacial es provocada por su turbación mental, "...sintió que, de tan triste, de tantas y repetidas ideas como tenía en la cabeza, había extraviado el camino". Úrsulo se había negado, hasta el último momento, a ir en busca del cura. De Cecilia, dura y hermética, piensa: "Ella es Dios y ella es el sacramento. Dios existe tanto en ella como en mí no existe". Por lo tanto el viaje y la búsqueda de la inmortalidad para Chonita carece de significado, es absurda: "...¿Qué sentido encerraba aquello frente a todo lo muerto, frente a todas las cosas muertas y sin resurrección?". En su turbación Úrsulo va a dar a la casa de su temido enemigo Adán. Personaje odiado por todos, el Caín del "fratricidio oscuro", "...violencia ciega, señorío sobre el destino, capacidad de destrucción sin límites". Adán ha actuado como el *fatum,* disponiendo de vidas sin el menor escrúpulo de conciencia, hasta la muerte de Gabriel, pero especialmente hasta la de Natividad. Sobre Úrsulo pesa la sentencia de muerte que el gobernador y su asistente han decretado para él, y Adán es el verdugo encargado de ejecutarla. En este punto el lector ignora que Adán, en virtud de su transformación, ha decidido no matar a Úrsulo. En la confrontación de Úrsulo y Adán hay recelo, hostilidad, mutua desconfianza. La muerte de Chonita es la tregua, el escudo que los protege a ambos.

El espectro de la muerte inminente atenaza el espíritu atribulado de Úrsulo en su jornada nocturna por el río.

> Pensaba en todo lo que Adán *debía* (Adán, padre de Caín, padre de Abel); en las vidas que *debía*... en el macizo inexorable Caín de que estaba hecho, ...en los nombres muertos, sepultados, de Natividad, Valentín, Guadalupe, Gabriel, que Adán había borrado de la tierra. (p. 182).

Mientras tanto las aguas agitadas, terriblemente oscuras, se precipitan con estruendo rebasando su cauce. Úrsulo al cruzar el río lucha contra las fuerzas caóticas del inconsciente en las que, en última instancia, sucumbe.[26]

La experiencia de la noche se prolonga, la acción transcurre en una noche infinita, en que día y noche se confunden, desaparecen los linderos bajo un manto de tinieblas, y el sol enfermizo que en una ocasión lucha contra las densas nubes es un "sol nocturno, fanasmal... Un sol irremediable, espectro apenas...". Paisaje agorero, reflejo de un mundo adverso, amenazador, fácilmente identificable con el mundo diabólico descrito por Frye:

> ...The world of the nightmare and the scapegoat, of bondage and pain and confusion... the world also of perverted or wasted work, ruins... closely linked with an existential hell... or with the hell that man creates on earth...[27]

Úrsulo frente a la presencia de la muerte reflexiona; como hijo de diosa tiene un carácter extraterrenal y se encuentra muy lejos de los hombres, "...que en verdad no era este su reino". Paradójicamente: "Su reino mostrábase vacío, vencido. Ruinas a uno y otro lado". La idea de esta decadencia es repetitiva; su casa se yergue solitaria "en medio de las ruinas de lo que antes había sido un pueblo". "Todo era un ambiente de pérdida y derrumbe".

En *El luto humano,* las aves de rapiña, propias del mundo diabólico, desempeñan un papel importante. Los zopilotes, que se nutren de materia en estado de descomposición, se ciernen amenazadoramente sobre el grupo. Una de las torvas aves, "como una cucaracha gigantesca" se lanza sobre el cadáver de Adán, hay en ella un profundo desprecio hacia estos despojos humanos, "miró en todas direcciones a Cecilia, a Calixto, a Marcela, a Úrsulo, los que aún estaban vivos, detenidamente, sin temor, juzgándolos con resuelta frialdad...". El mundo vegetal a su vez es desolado, seco, muerto.

A su regreso de este primer tramo del viaje Úrsulo sorprende los avances atrevidos de Calixto con su mujer, esto y la embestida frenética de las aguas lo convencen de su condición de cadáver y de

---

[26] Para Jung el acto de cruzar las aguas es una imagen a menudo asociada con un cambio fundamental en la vida del hombre *(Man and His Symbols,* p. 198), y considera que en el plano psicológico "water means spirit that has become unconscious" *(The Archetypes,* pp. 18-19).

[27] Frye, *Anatomy,* p. 147.

caído. "...Úrsulo estaba muerto, Úrsulo hallábase caído en el abis
mo, sin una existencia real desde que el río empezó a desbordarse
desde que el agua les empezó a llegar a las rodillas". Esta inmer
sión en las aguas equivale a entrar a las entrañas maternales. La
imago mater se proyecta sobre las aguas de una manera precisa
Los ríos, lagos, aguas en general, constituyen una parte del domini
del principio femenino como *fons et origo* de vida. En psicología
por su condición informe, vienen a ser una representación del in
consciente, con un carácter dual, ya venero de creación, ya fuent
originante de destrucción.[28] Si se las considera en su dimensión
espacial es también importante advertir que existe una correlación
entre el nivel de las aguas y el nivel ético del individuo, vistas desd
esta perspectiva las aguas son una firme indicación de la degenera
ción de Úrsulo y sus vecinos.[29]

La casa de Úrsulo y Cecilia tiene una "Topografía extraña..
como de una casa ajena, no la suya... de sueño, habitación su
mergida, y sombríamente acuática". Todos ellos se disponen a
emprender la retirada en búsqueda de una elevación en la cua
resguardarse. El "éxodo" es la reiteración de los mitemas del viaj
y del laberinto.

Siendo Úrsulo el cuchillo de obsidiana y el que va a la cabeza
de la fúnebre procesión, cobra sentido que todos vayan atados com
los prisioneros de guerra que eran llevados a la piedra de los sacri
ficios. Puesto que el sacrificio humano es uno de los rituales de la
Madre Terrible para fecundar y mantener viva la tierra, es evi
dente que la cuerda se convierte en el cordón umbilical que lo
une a ella.[30]

[28] Jung establece la relación con la madre: "The maternal aspect o
water coincides with the nature of the unconscious, because the latter (part
cularly in men) can be regarded as the mother or matrix of consciousnes
Hence the unconscious, when interpreted on the subjetive level, has the sam
maternal significance as water" *(Symbols of Transformation,* p. 219).

[29] Cirlot, *A Dictionary,* pp. 245-47.

[30] Neumann, *The Great Mother,* pp. 189-95. A su vez Eliade advier
que: "La cautividad y el olvido... constituyen un motvio panindio. Las d
desventuras expresan plásticamente la caída del espíritu..., y, por cons
guiente, la pérdida de la conciencia del Yo. La literatura india utiliza indif
rentemente las imágenes de ligadura, encadenamiento, cautividad o de olvid
desconocimiento, sueño, para significar la condición humana..." *(Mito
realidad,* p. 133).

El desmembramiento del cuerpo, como la inmersión en las aguas turbulentas, representa la disolución de la personalidad. El rito conduce al novicio a la identidad original uterina, que es una especie de muerte, y entonces se diluye la identidad.[31] La escena y la aventura revisten magnitud cósmica, el cuarto donde se vela a Chonita con los cirios apagados, deviene "la noche entera,... la noche animal que rondaba el mundo" y Úrsulo buceando en sus pensamientos llega al descubrimiento de la memoria colectiva.[32]

[31] Jung, *Man and His Symbols*, p. 130.
[32] Este episodio ha sido considerado "aberración", "vicio" y "absurdo" por los críticos J. L. Martínez, A. Zum Felde, y James Irby respectivamente. Ortega observa que el cambio de la tercera a la primera persona "tiene el efecto de hacer identificar al autor con la... meditación de Úrsulo y a la vez identificar el 'yo' con la humanidad" ("The Social Novel," p. 65). O'Neill por su parte afirma "...It is apparent that these thoughts treating the mythic origin of man and the elegant language do not find their source in Ursulo, an impoverished peasant" ("Psychological-Literary Techniques," pp. 123-24). A propósito de este mismo episodio dos casos vienen a la mente, uno es el de Fernando Vidal, uno de los protagonistas de *Sobre héroes y tumbas* de Ernesto Sábato, quien relata en su "Informe para ciegos", mientras espera su muerte, su "infernal jornada": "Asistí a catástrofes y a torturas, vi mi pasado y mi futuro (mi muerte) sentí que mi tiempo se detenía confiriéndome la visión de la eternidad, tuve edades geológicas y recorrí las especies: fui hombre y pez, fui batracio, fui un gran pájaro prehistórico". *Sobre héroes y tumbas* (Buenos Aires: Editorial Sudamericana, 1965), p. 375. Otro caso análogo es el de Sinclaire, en el *Demián* de Herman Hesse, en uno de sus diálogos con Pistorius, éste le informa que "cada uno de nosotros es en el ser total del mundo, y del mismo modo que nuestro cuerpo integra toda la trayectoria de la evolución, hasta el pez e incluso más atrás aún, llevamos también en el alma todo lo que desde un principio ha vivido en las almas de los hombres". Creemos importante transcribir toda la cita porque consideramos que en el párrafo siguiente se encuentra la clave de la experiencia de Úrsulo:

Hay mucha diferencia entre que llevemos simplemente en nosotros el mundo o que, además, lo sepamos. Un loco puede exponer ideas que recuerden a Platón y un colegial piadoso crea en su imaginación, profundas conexiones mitológicas que aparecen en las doctrinas de los gnósticos o de Zoroastro. ¡Pero no lo sabe! Y, mientras no lo sabe, es un árbol o una piedra, y en el mejor caso, un animalito... Sabe usted muy bien que muchos de ellos no son sino peces u ovejas, gusanos o sanguijuelas, hormigas o avispas. Todos ellos entrañan posibilidades de llegar a ser hombres, pero sólo cuando las vislumbran y aprenden a llevarlas en parte a su conciencia es cuando puede decirse que disponen de ellas... *(Demián* [México: Editorial Colón, 1947], pp. 171-72.)

El narrador advierte al lector que el hombre en ocasiones muere de hecho antes de morir, "Queda entonces del ser humano algo muy parecido a la piedra, a una piedra que respirase con cierto principio de idea de adivinación ancestrales. Momentos donde se da el prodigio de la especie y en un hombre solo, abatido por la revelación, muéstrase la memoria del hombre entero". Úrsulo recorre las etapas primordiales de los reinos animal, vegetal y mineral y retorna a los orígenes de la especie humana.[33]

Su experiencia en este caso no es venturosa. En este momento de iluminación Úrsulo reconoce que en él, el milagro, la evolución de la piedra al Hombre, no se ha efectuado. Por esto, "...su reino no era de este mundo. Que pertenecía al mundo de lo inanimado, antes, siquiera, de lo vegetal, y que como la piedra maternal primera, ignorándolo también, era tan sólo una extrahumana voluntad hacia el ser... [y que tenía] la vocación de la piedra: sin armas, como ella, sin pensamiento, inmóvil...".

De la vivencia transpersonal Úrsulo se ubica en la individual, evoca la historia de Antonia, la "diosa arisca y solitaria", su propio nacimiento y adolescencia. Este conocimiento, por lo tanto, no le otorga a Úrsulo una calidad extraordinaria, puesto que él como recipiente de esta herencia milenaria no hace más que recibirla gratuitamente en la visión inequívoca de la muerte, "Comenzaban a entrar ya en la etapa postrera. Sus vidas tenían ahora una sola dimensión terminal. De ahí en adelante, los minutos iban a ser tan

[33] "Nacemos en cierto modo en un edificio inmemorial que nosotros resucitamos y que se apoya en cimientos milenarios. Hemos recorrido todas las etapas de la escala animal; nuestro cuerpo tiene numerosas supervivencias de ellos... Así llevamos en nosotros en la estructura de nuestro cuerpo y de nuestro sistema nervioso toda nuestra historia genealógica... Teóricamente podríamos reconstruir la historia de la humanidad partiendo de nuestra complexión psíquica pues todo lo que existió una vez está todavía presente y vivo en nosotros..."C. G. Jung *Los complejos y el inconsciente* (Madrid: Alianza Editorial, 1970), pp. 389-90.

Este episodio lo comenta Portal observando que es el único narrador contemporáneo que convierte en materia poética las "intuiciones científicas materialistas" que sólo se nos dan en biología como historia de la materia *Proceso narrativo de la Revolución Mexicana* (Madrid: Espasa Calpe, 1980), p. 319.

sólo una preparación... todo lo que había sido la vida, prepararíase hoy para la muerte".

Úrsulo en el vórtice infernal siente la presencia castradora de su mujer y su hija que lo coartan para actuar contra Calixto, "Chonita, y ahora, además, Cecilia, lo impedían como cadenas. Era de cadena, de hierro, este cuerpo de Chonita. Y la mujer como una ancla espesa, entre las sombras, caída hasta el fondo, inmaterial ya". Esta inercia que lo paraliza, como el dominio de los instintos, pertenece a la esfera maternal.[34] Si Cecilia, Madre Terrible, yace como áncora en las profundidades, Úrsulo la sigue arrastrando consigo a todos los que lo acompañan, atados y dependientes de él. Grotesca es su caída, pues Úrsulo no ha logrado escalar las alturas, remedo de héroe, cuyo único tesoro rescatado es el cuerpecito helado de Chonita, "Y su cuerpo era la nada enigmática y desconsoladora".

Su herencia ancestral de odio y crueldad irrumpe una vez más frente a los urgentes gemidos de Marcela implorando ayuda para rescatar a Jerónimo-Lázaro, ebrio y caído en las aguas. Indiferente, Úrsulo dicta su veredicto, "—¡Déjalo que se muera!" La ponzoña del egoísmo toca a todos por igual. "No era indebido dejarlo ahí, sino antes bien natural y lógico". En la cultura solar y patriarcal azteca es sorprendente encontrar a la figura masculina de mayor autoridad, después del emperador —al Tlacatecuhtli o jefe supremo de la tribu—, investido con el título de mujer-serpiente, aspecto terrible de la Madre Tierra.[35] Así la constelación matriarcal sobrevive, Cecilia-Cihuacóatl demanda sangre y sacrificios, y, a su vez, ella corre la misma suerte para regenerar la tierra y la vida cósmica. Su orden confirma la sentencia pronunciada por Úrsulo, "—¡Deja a Jerónimo!... ¡Vámonos, por Dios!... Morirían a partir de ese momento en que Cecilia había dado la señal".

Layard describe el "viaje de los muertos" que se reactualiza en los ritos de iniciación en Malekula, una de las islas de las Nuevas

---

[34] Neumann, *The Origins*, p. 187.
[35] G. Vaillant instruye, "The 'Snake Woman' was the executive peak of the internal affairs of the tribe, where civil custom and religious demand governed almost every act" (*The Aztecs of Mexico*, p. 122, citado por Neumann, *The Great Mother*, p. 185).

Hébridas, en Melanesia. En su estudio señala las características arquetípicas fundamentales del laberinto, entre otras que:

1. siempre está relacionado con el motivo muerte-renacimiento y
   los ritos de iniciación,
2. el laberinto está localizado invariablemente a la entrada de una
   ciudad o vivienda.

El laberinto es considerado como parte del viaje nocturno, que
corresponde a los procesos psíquicos del hombre moderno, en el cual
el hombre ha de probar, a sí mismo y a los demás, su resistencia
espiritual.[36] Después de caminar sin descanso, mano en mano, unidos
por la soga, desaparecidos ya el cura y Jerónimo, los "náufragos"
tropiezan con algo enorme y sólido, "Úrsulo abrió los ojos desmesu-
radamente: aquel obstáculo era su casa, en torno a la cual giraran
sin descanso durante aquellos infinitos años. Todo, entonces, la muerte de Jerónimo, la desaparición del cura, el amor de Calixto hacia
Cecilia, se había desenvuelto ahí, sin apartarse del punto primero".

Extraviados, sin la menor esperanza, han buscado la salida de su
angustiosa situación sin lograrlo, la convicción de su muerte inelu-
dible los hace insensibles y ajenos. Úrsulo mismo siente las mismas
angustia suicidas del cura de dejarse arrastrar por la corriente, de-
jarles el campo libre a Calixto y Cecilia, mas consigue desechar estos
impulsos. Subidos los cuatro sobre la azotea, otra vez se siente inva-
dido por sus oscuras emociones. En el mundo diabólico la relación
erótica presenta visos de una pasión destructora, la mujer es vista
como objeto y, por lo tanto, es elusiva, la posesión no se alcanza
nunca.[37] Úrsulo siente deseos de consumar el acto de poseer a Cecilia
en ese preciso instante, a la vista de Calixto y Marcela para ratificar
su autoridad de dueño, aunque sabe que su propósito es descabella-

---

[36] John Layard, *Stone Men of Malekula: Vao* (London: 1942), p. 652,
citado por Neumann, *The Great Mother*, pp. 175-77.

[37] Frye, *Anatomy*, p. 149. En concepto de Neumann, "In our patriar-
chal age, the term 'to possess' a woman is used for the sexual act in which
the man, lying above, believes —for reasons that defy rational understanding— that he has made her his possession. But the term still reveals the
primordial, pregenital form of possession, in which the male obtains the earth
from the female by being taken on her lap as her son" (*The Great Mother*,
pp. 99-100).

do, "pues Cecilia no era suya ya «¿Y cómo aproximarse otra vez, otra vez llegar, ser parte de su cuerpo?»". Por su parte Calixto piensa en los momentos anteriores a la muerte definitiva, "No podré ya poseerla", refiriéndose a Cecilia. Si el ego exige un precio tan alto por satisfacerse, la desesperanza y el desaliento serán la única respuesta; del inconsciente viene un sentido de total impotencia y la inercia paraliza todas las funciones de la voluntad.[38] "No se movieron de su sitio, sin sentir siquiera angustia o desolación. Estaban muertos, se sentían muertos y ya para qué todo". Sin embargo todavía el aliento de poseer los anima momentáneamente. Calixto se apodera del cadáver de Chonita, y Úrsulo, dueño de la muerte y de la nada, defiende la posesión de su tesoro. Luchando caen a las aguas desde la azotea, la caída de los dos hombres es física y confirma su carácter degradado. Úrsulo con el cadáver a cuestas, penosamente vuelve a su posición previa, "...una tristeza mortal y definitiva" se apodera de ambos, sin embargo Calixto se manifiesta más fuerte y tenaz y "Úrsulo en derrota".

La revitalización del mitema del retorno viene a ser en este caso el falso regreso, el descubrimiento de que no se han movido del mismo sitio y que el pretendido viaje, en búsqueda de la salvación para todos, no se realizó nunca.

La muerte física de Úrsulo sobreviene en breve, simultáneamente al hallazgo del cuerpo de Adán. En ese preciso instante ha sufrido una segunda caída física y un golpe mortal en la cabeza, centro espiritual del hombre. "«No puede ser, no quiero», insistió, aunque se sabía perdido y el primero que moriría de todos, desde que comprendió que Cecilia jamás le volvería a pertenecer, ni aun durante los últimos segundos de la vida". Cuando su mujer se inclina a consolarlo, la voz imperativa del nuevo pseudo líder la detiene, "—¡Déjalo! —exclamó Calixto al ver las atenciones de que Úrsulo era objeto, y colocándose de pronto en el papel de jefe—. ¡Déjalo! No podemos hacer nada". El último pensamiento de Úrsulo, a la vista de los zopilotes dispuestos a devorarlos, es la protección de su tesoro, "Con tal que no venga hacia Chonita".

La muerte ritual por desmembramiento, *sparagmos*, que la Madre Terrible adjudica a sus hijos, vestigio del matriarcado original, reapa-

---

[38] Harding, *Journey*, p. 64.

rece. La analogía de estos seres con Prometeo compendia la injusticia, el tormento, el sufrimiento renovado cada día, patrimonio del hombre. Prometeo, por darles el fuego a los hombres provoca la cólera de Júpiter quien lo condena a ser encadenado en el monte Cáucaso donde un buitre según una versión, y un águila según otra, le devoraría eternamente las entrañas. Y a los hombres que se han entregado al crimen y la violencia les envía el Diluvio. Con la ayuda de Neptuno desencadena todas las fuerzas naturales, la lluvia cae sin cesar, los ríos se vierten sobre la Tierra, hasta exterminar toda señal de vida. El mito pagano coincide con el bíblico hasta en el hecho de salvar a ciertos elegidos de la divinidad.[39]

La alusión al mito prometeico también es, en este caso, a todas vistas irónica. Prometeo es de naturaleza divina e inmortal, símbolo de la generosidad, la acción creadora y la voluntad de lucha contra la autoridad arbitraria. El mito es desvirtuado, el narrador recalca con insistencia que el grupo ha perdido su carácter humano "Eran basura los náufragos, basura terrible", inferiores en la escala zoológica a los zopilotes. Su impotencia y vulnerabilidad los incapacita para defenderse de ellos: "...dejaríanse roer las entrañas lentamente, sin voluntad que oponer, Prometeos perdidos", "y el zopilote era un rey, el rey de la creación", los "dueños del destino".

La estructura mítica del héroe en la segunda fase es irónica en cuanto que la aventura, a pesar de traer aparejado un descubrimiento de la inautenticidad de la vida por su herencia atávica, no produce ninguna modificación en la escala de valores. Úrsulo muere compungido únicamente por la frustración de sus deseos de posesión. Aunque la autoconciencia de su falta de responsabilidad se le hace patente en los momentos últimos de su vida al confesarse a sí mismo: "«Yo soy culpable de lo que pasa», se le ocurrió". No hay ningún sentimiento de contrición en este hallazgo. No hay salvación colectiva ni personal. Este pseudohéroe es en realidad el antihéroe, de acuerdo con la definición dada por Villegas, "el portador de los valores no recomendados, negativos, en el contexto de la novela".

La función del antihéroe Úrsulo, en su malograda aventura, es pregonar de una manera efectiva la necesidad de destruir estos valores

[39] Thomas Bulfinch, *Bulfinch's Mythology* (New York: Doubleday and Co., 1948), pp. 12-20.

negativos: ausencia de caridad y compasión humanas, avaricia, egoísmo, violencia, que tan claramente personifica.

Úrsulo como elemento transicional, con un ego inmaduro, se encuentra emplazado en la órbita de la Madre Terrible. En tanto que como ego adolescente se somete a ella sin lucha, el camino conduce a la catástrofe.[40]

El pueblo mexicano, afirma Revueltas en esta obra, no ha alcanzado la madurez suficiente ni una conciencia superior "Calixto y Úrsulo eran... La transición amarga, ciega, sorda, compleja, contradictoria, hacia algo que aguarda en el porvenir". En contraste, Natividad, líder marxista, emerge como el héroe solar mítico sacrificado, de quien se tiene la certidumbre, a fuerza de constantes reiteraciones a su carácter inmortal, que su unión mística con la tierra fructificará —algún día— en nuevos y múltiples héroes que a la postre conducirán el país a un verdadero renacimiento político y humanitario. Adán había adivinado el carácter sagrado y misterioso de Natividad:

> Hombres como Natividad levantaríanse una mañana sobre la tierra de México, una mañana de sol. Nuevos y con una sonrisa. Entonces ya nadie podría nada en su contra porque ellos serían el entusiasmo y la emoción definitiva. (p. 327).

Los personajes femeninos y el arquetipo de la Magna Mater

Puesto que la nostalgia de los orígenes [41] y la búsqueda del espacio vital están íntimamente vinculados con la madre y la tierra, es conveniente explorar las varias manifestaciones que asume el arquetipo

---

[40] "Until it has finally consolidated itself and is able to stand on its own feet, which, as we shall see, is only possible after the sucessful fight with the dragon, the adolescent ego remains insecure... This inner insecurity, taking the form... of doubt, produces two complementary phenomena that are characteristic of the adolescent phase. The first is narcissism with its excessive egocentricity, self-complacency, and self-absorption; the other is *Weltschmerz*... Over-evaluation of the ego as a symptom of immature consciousness, ... compensated by a depressive self-destruction..." (Neumann, *The Origins*, pp. 122-23).

[41] Coincidimos con Portal cuando asienta "... la interpretación o la descripción 'prestigiosa' del mito del origen, sólo la encontramos, dentro de

femenino en la novela.[42] El principio femenino en su estructura arquetípica es dinámico y polivalente. De este arquetipo básico emerge el arquetipo primordial de la *Magna Mater,* cuya imagen tiene su expresión en los mitos y en general en el arte literario bajo el nombre de la Gran Diosa. La *Magna Mater* tiene un carácter ambivalente, no sólo da vida, mantiene, alimenta, protege, es sinónimo de fertilidad y crecimiento sino que a la vez aprisiona y devora, es diosa de la muerte. En ella se dan los polos opuestos: noche y día, amor y soledad, cuna y tumba, vida y muerte.

Marcela es una "apacible madre colectiva". Como tal el carácter elemental, de "recipiente", del arquetipo es predominante, representado por el signo urobórico de la serpiente circular que representa el "todo indiferenciado".[43] Bajo esta luz la mujer se revela en su aspecto maternal, capaz de ser fecundada y engendrar. En este sentido se confirma su grandeza porque en ningún otro caso adquiere el ser humano un halo numinoso como en el acto de la función procreativa. Marcela es la única del grupo que parece trascender el "yo" para concentrarse en la tarea de salvar a Jerónimo. Sin embargo cuando Úrsulo la incita a que abandone a su marido Marcela siente que el sentimiento innoble la invade a ella también. En el carácter elemental se destaca además el aspecto de procuradora de sustento. Marcela se ocupa en reunir unos cuantos comestibles para el viaje. Lo irónico es que no es una mujer fecundada y la servilleta en la que envuelve los frijoles secos y las tortillas duras, es la propia mariposa de la muerte, la que poco después se posa sobre sus hombros como un signo inexorable. Marcela es la portadora del símbolo animal de la muerte, el que, por otro lado, todos llevan latente en su interior. Se percibe que el adjetivo "apacible" es engañoso y Marcela representa ambos aspectos, positivo y negativo, de la *Magna Mater.*

---

la narrativa que nos ocupa, en los autores ideológica o imaginativamente más sofisticados, en las novelas más cultas y más experimentales del tiempo de la metáfora —sostenida— imagen-simbólica", citando a continuación *El luto humano, La región más transparente* de Carlos Fuentes y *José Trigo* de Fernando del Paso, *op. cit.,* p. 317 (Ver pp. 115-116 de este estudio).

[42] Ruffinelli comenta la preocupación constante de Revueltas con el motivo de la madre extrañándole que no lo desarrolle dentro de un marco más amplio (*op. cit.,* pp. 109-110). Tanto Ruffinelli como Frankenthaler han observado la desacralización de la figura materna en la obra de José Revueltas.

[43] Neumann, *The Origins,* pp. 5 ff.

"La Borrada", diosa salvaje, es una proyección del aspecto *ctónico* del arquetipo, en su cercanía a la naturaleza primitiva del hombre arcaico. Dotada de poderes sobrenaturales, carácter profético, clarividente, previene a Adán para que no mate a Natividad y le es dado presentir y tener una visión del asesinato de su marido. "Ella podía ver en la oscuridad, como diosa, y quién sabe en qué sitio se encontrara, en qué parte del mundo".

La prostituta Eduarda es el Eterno Femenino, la mujer cósmica que con su presencia "ocupa el universo". La figura del Anima, en su aspecto positivo, corresponde al aspecto transformativo del arquetipo femenino que es capaz de inspirar las más altas aspiraciones del espíritu. El cura consuma simbólicamente el incesto, en su calidad de padre de la iglesia, con la mujer agonizante. Su dignidad humana y su libertad le son reintegradas por Eduarda quien al respetarlo lo torna en un "ser casto". Mientras el cura sintiéndose destruido reposa en el cuarto sin que lo ofusque ya el deseo, Eduarda de pie en el umbral recibe la lluvia, agua lustral que purifica. Eduarda es la sacerdotisa que imparte el bautismo sexual a los jóvenes campesinos. La situación está teñida de ironía, pues finalmente, con Eduarda, el sacerdote consuma el acto físicamente y hay un clima extraterrenal, de pureza, en la escena. Mujer singular "con algo de muy transparente y claro, limpio y sin mancha... como una santa sin materia, celeste, antigua, joven, plena y floreciente".

Muy diferente es la figura de la madre en el corrido del minero José Lisorio. Con ella se corrobora el carácter ambivalente del arquetipo. La *Magna Mater* en su función siniestra, devoradora, asume una actitud hostil. Denuncia una tendencia agresiva y destructora, en la que prevalece el carácter negativo del arquetipo, la madre castradora. Por la maldición materna José Lisorio muere en un accidente: "Pero en modo alguno ésta de José Lisorio era una madre tierna y dulce, antes bien terrible, profética, oscura, filicida. Madre del Viejo Testamento, con poderes sobre el destino, intocable y mágica: de tan entrañable y querida, sordamente querida, como un tabú siniestro, círculo, límite sin tiempo, raya imposible". Con esta imprecación y valiéndose de un corrido popular, Revueltas condena el mito de la abnegada madre mexicana y la exaltada e indiscriminada veneración que se le dispensa en México.

En Cecilia, como en Marcela, se dan los dos aspectos del arquetipo, es diosa de la vida y de la muerte. En sus relaciones con Natividad el aspecto transformativo del arquetipo prepondera y bajo esta forma presenta una fase más avanzada del desarrollo del ego y la individualidad y de su capacidad de relacionarse con su pareja. Este carácter transformativo predomina cuando la mujer lo experimenta en una forma consciente y desemboca en un vínculo auténtico. Cecilia ama y se entrega a Natividad en una forma total y profunda. Es una "ceremonia" sellada con sangre, noción de vida: su virginidad ofrendada; de muerte: la vertida por él. La sangre es la fuerza "primigenia", vital, la pasión que los ha unido es una sangre "que canta". Úrsulo, advenedizo, ocupa el lugar físico de Natividad. Cecilia siente rencor, piedad, repugnancia, "inamorosa ternura" por este hombre sombrío, solitario, desnudo. En estas relaciones el carácter elemental, matriarcal, prevalece. "Úrsulo es como su propio hijo". Cecilia por su lealtad a Natividad es incapaz de tener una relación personal con su marido, la comunicación se establece en el plano arquetípico colectivo.[44] Encontrándose ausente la relación individual con Úrsulo éste puede ser sustituido por Calixto, de allí la indiferencia que manifiesta Cecilia ante los avances y requerimientos de ambos, y la actitud misma de Calixto que se apropia la paternidad de Chonita. Antes de iniciar la retirada Cecilia decide escudriñar "el vientre nostálgico del baúl", pretende recuperar el pasado, puesto que el porvenir no existe. El carácter simbólico del objeto y su conexión con el arquetipo femenino es evidente. Allí guarda cuatro reliquias que simbolizan cuatro momentos cruciales de vida. El corpiño blanco tinto de "aceite rojo", el de su entrega amorosa y el de la muerte de Natividad fundidos, "testimonio sacro" de una ceremonia definitiva. El joyero de paja significa su "pacto infinito" con Úrsulo, objeto vacío, visto con rencor. Un haz de cabellos de su

---

[44] Neumann señala: "Those women in whom the elementary character is dominant are related only collectively to their mate; they have no individual relation to him and experience only an archetypal situation in him. In a patriarchate, for example, the woman sees man as the archetypal father who begets children, who provides security —preferably also in the economic sense— for herself and her brood, and lends her a social personal position in the community" *(The Great Mother,* p. 36).

madre, tocarlos es como tocar sus propias vísceras, algo muy dentro de ella se conmueve. Las reminiscencias la llevan a una memoria prenatal, experiencia traumática, en la que sus padres son persegui- dos, su padre asesinado y su madre grávida, abandonada, da a luz violentamente.[45] Y por último el abanico de marfil que es codiciado y solicitado untuosamente por Calixto.[46] Por segunda vez el intento de Calixto de obtener los favores de Cecilia se ve frustrado por la intervención de Úrsulo.

Entre las funciones principales del carácter elemental del arque- tipo femenino se incluyen las de nutrir y proteger a la criatura. Hay una hipótesis con fuertes bases que sostiene que el periodo embrio- nario del feto no culmina con su expulsión del útero, sino que se prolonga extrauterinamente hasta aproximadamente un año de vida. Esta idea presupone que el infante está a merced de la madre quien ve en esta dependencia un motivo de satisfacción personal.[47] Chonita, la pequeña hija de Cecilia y Úrsulo, es "la referencia de ambos, su lugar de cita". Cecilia ama a su hija pero resiente profundamente que se erija en una apertura hacia su intimidad. Cuando Chonita da señales de estar enferma, Cecilia se complace, se convierte en Madre Terrible, diosa de la noche y del mundo subterráneo. Con la muerte de Chonita, sin embargo, sobreviene la de Cecilia. Pierde

---

[45] Al respecto Eliade comenta: "... the memories of prenatal existence which certain North American shamans claim to have rather clearly preser- ed ... illustrate the myth of a subterranean life followed by an arrival upon the face of the Earth, with, of course, differences due to the fact that these memories are those of an individual obstetrical birth." *Myths, Dreams and Mysteries: The Encounter Between Contemporary Faiths and Archaic Reali- ies* (New York: Harper and Row, 1960), p. 162. En cuanto al pelo, es una noción muy extendida que este tiene un valor simbólico universal. *Ana- lizados* antropológicamente, todos los objetos que pertenecen pero son sepa- rados del cuerpo, se consideran como partes de un rito de castración, como es el caso de la limpieza del cuerpo, el corte de pelo, la circuncisión, etc. El pelo se convierte en objeto mágico. Psicológicamente tiene un contenido sexual y agresivo. Edmund R. Leach, "Magical Hair", en *Myth and Cosmos: Readings in Mythology and Symbolism*, ed. John Middleton (New York: Na- tural History Press, 1967), pp. 98-103.

[46] El abanico aparece asimilado a las fases de la luna y al principio femenino. Por su asociación con el ritmo lunar se interpreta como un sím- bolo erótico. También conlleva el concepto de fugacidad (Cirlot, *A Dictionary*, p. 97).

[47] Neumann, *The Great Mother*, p. 32.

su nombre, su identidad, su rostro es una máscara lisa, sin faccione
de manera que cae bajo el dominio del inconsciente.[48] "...Sus senc
[son] amaternales ya. Senos que crecían hoy libres del hilo láctec
dulce, vital...". La madre lactante es generadora y la criatura e
fertilizada.[49] Cecilia cesa de ser procreadora; al cortar el cordó
umbilical, Chonita y Úrsulo son abandonados a su suerte. Chonita
muerta, es el símbolo de la esterilidad de la tierra —Cecilia—. I
negligencia e indiferencia de sus padres y vecinos hace que este únic
brote se agoste y muera. "Chonita había muerto, muchos, muchísi
mos años antes, fruto misterioso de la desesperanzada tierra". Todc
ellos ya muertos, cómplices del crimen, comparecen ante el cadáve
como ante un tribunal para ser juzgados por un dios implacable
La muerte de Chonita está ya prefigurada, nace al morir el sc
y en el cielo huye una bandada de pájaros negros.[50] Chonita, Encan
nación, es esperanza de vida, de resurrección. Recién después d
nacer, Úrsulo le pregunta al cantinero el santo del día, es la Encan
nación del Señor, nombre que lleva un significado místico, el de
misterio cristiano del verbo encarnado.[51] El cual la ata a Natividac
cuyo nombre lleva semejante simbolismo. Chonita y Natividad com
esperanza de un mundo mejor donde la caridad, el amor, la fran
queza sustituya al odio, la codicia, el fariseísmo entre los hombres. L
esperanza no dura mucho tiempo en el seco corazón de sus padres
vecinos. Chonita, aún después de muerta, es un extraño amuletc
lleva en sí la potencia numinosa de despertar sentimientos positivos
Cuando su madre la toma en sus brazos, el aspecto positivo del an
quetipo toma conciencia de sí y entonces Cecicilia se comporta com
un ser humano, capaz de sentir y llorar, cuando devuelve la niña a
Úrsulo vuelve a sentirse desligada de él y lo deja solo, sin amparo
El negar amor es una negación de todas las funciones del elemente
positivo del carácter elemental, especialmente si por este acto se con

---

48 Jung, *Man and His Symbols*, p. 282.
49 Neumann, *The Origins*, p. 32.
50 "En el horizonte, las nubes ardían y adivinábase que ahí comenzab
un límite inconcebible después de cuyo término estaría un valle extenso y d
oro. No obstante, la ilusión se disipó apenas el sol traspuso el término, y la
nubes, antes claras, luminosas, empezaron con su color, violeta, guinda, hast
quedar grises, como un rescoldo" (Revueltas, *Obra*, I, p. 242).
51 Tibón, *Diccionario etimológico*, p. 162.

vierte en un instrumento de poder sobre la otra persona. "Cecilia era dueña de una fuerza ante la cual Úrsulo se daba cuenta de la derrota". Pero aún puede tomar una forma más funesta cuando se disuelve el lazo de la *participación mystique* y reina una absoluta soledad: "Cecilia mía... —musitó contra su voluntad. Fríos, que mejor fuera no haberlos llamado, los ojos de Cecilia se posaron en Úrsulo sin expresión y sin mirada. Úrsulo sintió entonces cómo quedaba de pronto sobre la tierra solo e irreparablemente vencido". Es únicamente dentro de una fase consciente que el rechazo y la negación del amor se manifiestan como un acto negativo voluntario de la *Magna Mater*.[52]

Excepto Cecilia que a la postre resulta tan infecunda como las demás, las otras tres mujeres carecen de progenie y en varias ocasiones la atención del lector se centra en este hecho. El saber que Cecilia se hallaba preñada, recuerda Calixto, les causó una verdadera impresión, era algo extraordinario. La Calixta, mujer hidrópica "parecía embarazada". "Nunca había tenido hijos y su marido le golpeaba el vientre abultado, para que pariera. —Estás embarazada del diablo —decía". La Calixta, como si fuera la tierra misma, siente dentro de sí la tierra azotada por la tempestad, árboles, montañas, río, viento y lluvia. Mujer descrita grotescamente, en su afinidad con la tierra, su esterilidad es una réplica dolorosa de la aridez del suelo. Cecilia, se nos dice repetidamente, es la tierra. En Antonia, identificada también con la tierra, se deposita "la semilla" de la nueva raza, la profecía se cumple y la tierra pasa a manos de los blancos conquistadores, hijos del sol. La asimilación de la mujer con la tierra, y las tareas agrícolas con el acto sexual, es universal. La importancia de la mujer es de carácter religioso y por eso, en muchas sociedades rurales, la unión del hombre y la mujer tiene carácter ceremonial y se lleva a cabo en los campos en un intento de fertilizar la tierra.[53] Cecilia se entrega por primera vez a Úrsulo sobre la tierra, en el campo.

El amor es uno de los pocos caminos que le quedan al hombre para trascender su corporeidad y vencer la muerte y la soledad. La muerte puede anular la existencia física de la persona amada pero

[52] Neumann, *The Great Mother*, pp. 67-68.
[53] Eliade, *Myths, Dreams and Mysteries*, pp. 185-86.

la expresión de la genuina vivencia amorosa sobrevive.[54] La unión
de Úrsulo y Cecilia es una parodia de su relación con Natividad, y
se sostiene hasta el deceso de Chonita. Cecilia es el pedazo de tierra
de Úrsulo pero también es su única esperanza de salvación personal.
Cecilia, la tierra, es considerada como objeto de posesión, Úrsulo ha
dejado de ser su dueño. Indigente, física y espiritualmente, con la
convicción de su pérdida irreparable, el anhelo de poseerla se agu-
diza.[55] El acto sexual asume entonces la dimensión de un acto ceremonial, una réplica del *hieros gamos* mítico en el que se consuma la
unión con la diosa y la tierra y que viene a ser una réplica del acto
cósmico de la creación. "Cecilia era la tierra, las quince hectáreas de
Úrsulo. La tierra es una diosa sombría".[56] Pero el *hieros gamos* es
también una ceremonia simbólica del matrimonio con la muerte.
Y en ambos casos el anhelo de Úrsulo cobra sentido pues Cecilia en
esta fase, como Madre Terrible, es el útero de la tierra en su aspecto
siniestro.[57] Cecilia se asimila a Tlazoltéotl o Ixcuina, Madre Tierra,
diosa de la basura que es conocida bajo otros nombres. Tlazotéotl al
comer los pecados de los hombres los dejaba limpios, obsoleta en su
misión purificadora emerge como digna representante de este pueblo
de basura. Cecilia como Madre Terrible, símbolo del inconsciente,
del lado tenebroso, abismal, de la psique, tiene una fuerza extraordinaria en el grupo, especialmente bajo la advocación de Coatlícue y
Cihuacóatl, diosas de la tierra, con poderes sobre el nacimiento y la
muerte, y de Coyolxauhqui, hija de Coatlícue, diosa de la luna.[58] Es
ella la que da la señal, "su testimonio de egoísmo y odio", de abandonar a Jerónimo a las aguas. La *Terra Mater* encarna la fecundi-

---

[54] Viktor Frankl, *Psicoanálisis y existencialismo* (México: Fondo de Cultura Económica, 1950).

[55] Ver p. 88.

[56] Mircea Eliade, *El mito del eterno retorno: Arquetipos y repetición*
Madrid: Alianza Editorial, 1972), pp. 31-32; *Birth and Rebirth: The Re-
ligious Meaning of Initiation in Human Culture* (New York: Harper and
Brothers, 1958), p. 25.

[57] "In Eleusis 'the community expected its salvation from what took
place in the subterranean hall.' It is believed that this central event was a
forced marriage, ritually enacted by the hierophant, the priestess of Demeter,
and those who were to be initiated. This *hieros gamos* was also experienced
as a death situation, for the Eleusinian mysteries were compared to a 'grue-
some celebration of the death night' " (Neumann, *The Great Mother*, p. 318).

[58] Neumann, *The Great Mother*, pp. 182-83.

dad, pero en sus entrañas también encierra la oscuridad, el abismo, la tumba. Es la *Magna Mater*, grandiosa en su dualidad. "...Así era la tierra de este país: tierna, cruel, hostil, cálida, fría, acogedora, indiferente, mala, agria, pura". Tierra regada con sangre, en la antigua Grecia se creía que esto la tornaba estéril.[59] "...Tierra avara y yerma: extensiones de cal dura y sin misericordia donde florecían las calaveras de los caballos y escuchábase el seco rumor de las culebras sedientas; desgracia de tierra apenas con sus cactos llenos de ceniza y agrio jugo de lágrimas remotas, hundidas en lejana geología". La tierra "maldita" es un lugar de castigo, carente del líquido vital indispensable para la vida y el crecimiento, es un desierto donde ni plantas, ni niños, ni ideales, ni sentimientos pueden fructificar. La vida ha cesado de latir, una decadencia estéril, reflejo del alma de sus habitantes, se enseñorea sobre ella, mundo moribundo amenazado por la extinción.

Natividad había venido a convertir la tierra-Cecilia-México, en un lugar nuevo y libre. Cuando baja a la tierra ésta es una hoguera, que lo acoge "para conectar sus llamas con el fuego interno que ella mantiene en su corazón".[60] La idea del fuego es a la vez índice de su superioridad moral. El rito de su unión con la *Terra Mater* entraña la identificación del hombre con el suelo natal, una relación cósmica. La *unio mystique* con la mujer y la tierra encierra un profundo significado, el de reintegrarse a la madre, es lo que Eliade llama la mística experiencia de lo autóctono, que abarca el ciclo nacimiento-muerte.[61] Natividad hombre de las masas, de la tierra, regresa a ella.

La mujer primigenia mexicana: Malinche

Figura señera, Malinalli-Malintzin-Marina-Malinche, "la olvidada omnipresente", aparece tangencialmente en la historia, alcanza verdadera estatura en el mito y perdura en la psicología del mexicano

[59] Eliade, *Myths, Dreams and Mysteries*, p. 187.
[60] "Fire and flame symbolize warmth and love, feeling and passion. They are qualities of the heart, found wherever human beings exist" (Jung, *Man and His Symbols*, p. 301).
[61] Eliade, *Myths, Dreams and Mysteries*, p. 164.

actual.[62] Pocos datos fidedignos existen sobre ella, Bernal Díaz d*
una versión que lleva rasgos del héroe mítico, que ha sido puest*
en tela de juicio. Lo que se sabe con certeza es que, de origen*
nahoa, es entregada a Cortés en calidad de esclava con otras die*
cinueve mujeres, en 1519, en la ribera del río Grijalva. Su origen*
noble es muy posible; demuestra gran aptitud para el aprendizaj*
de las lenguas y éxito en la delicada misión que desempeña al lad*
del conquistador extremeño.[63]

En "la Borrada", Eva criolla, se plantea el mito conflictivo de*
mestizaje. Adán-Cortés recibe a la Borrada-Malintzin como obsequi*
de Gregorio, cacique de una ranchería indígena. Los indios decide*
someterse al extranjero, cansados ya de tantas luchas. El encuentr*
de estos personajes tiene lugar junto a un arroyo donde "la Borra*
da", desnuda, se baña. La presencia del extraño no despierta n*
asombro, ni recelo en la mujer, el supuesto estado de inocencia s*
refleja en su actitud. La escena recrea la visión edénica a la par qu*
es reminiscente de la descripción de las costumbres de las mujere*
en la región de Tabasco, de entregarse a las delicias del baño en la*
aguas del río.[64] De pelo negro, ojos verdeazules, tal vez mestiza, tal*
vez india, dotada de extraña dignidad, "...producto del secreto or-
gullo que corría por sus venas... [con] un no sé qué de solemne y*
antiguo, como si la mujer fuese hija de grandes señores, o dioses, o*
antepasados esenciales", "la Borrada" deja una huella profunda en*
Adán. Gregorio decide casarlos comprendiendo que la unión se*
realizará del mismo modo "como antes ocurrió cuando llegaron los*
españoles". En este punto el mito se invierte y la Borrada-Malintzin*
se rebela contra la idea de engendrar un hijo, temor que también*
provoca en Gregorio siniestros presentimientos. Para evitar la des-
cendencia "la Borrada" acude a las artes de ña Demetria. El mito*
toma un giro irónico, es Deméter, símbolo por excelencia de la*
fecundidad, la encargada de procurar las pociones que han de impedir la procreación. El empeño logrado, de eliminar a toda costa*
la fusión de las sangres, condena figuradamente al mestizo, en esta*

---

[62] Miguel Ángel Menéndez, *Malintzin en un fuste, seis rostros y una sola máscara* (México: La Prensa, 1964).
[63] Bernal Díaz del Castillo, *Historia verdadera de la conquista de la Nueva España*, Capítulos 36, 37, citado por Menéndez, *Malintzin*, pp. 38-41.
[64] Menéndez, *Malintzin*, p. 72.

ersión del mito, a la extinción. El mito del mestizaje se recrea
por otra parte en Antonia-Malintzin, india pura y don Vicente, nieto
de conquistadores; en ella se cumple el destino fatal de su raza.
El producto es Úrsulo, mestizo degradado sin esperanza de reden-
ión. "La Borrada", como Malintzin, es "la puerta", por donde las
ribus indígenas del Valle de México esperan escapar a una mejor
vida liberados de sus odiados opresores, los crueles aztecas. Malinche
y Cortés son esperanza de libertad para todos los vecinos, aliados y
vasallos de los advenedizos aztecas: tlaxcaltecas, cholultecas, texco-
anos, chalcas, acolhuas, todos se unen contra el enemigo común
a favor del invasor.

El arquetipo femenino y su simbolismo

Las tinieblas constituyen la fuerza ominosa que se cierne sobre
el universo revueltiano. Tradicionalmente, después del advenimiento
de la luz, han llegado a caracterizar las potencias regresivas y por
o tanto van asociadas con la idea del mal, con la noche primordial
y el inconsciente.[65]
Las tinieblas se identifican también con las fuerzas cósmicas, el
caos primordial y el Génesis, lo que nuevamente nos conduce al
principio femenino, por ser la realidad arquetípica de la *Magna
Mater* origen de todo lo existente.[66]
En toda la novela hay un continuo descenso hacia un mundo
abisal, las tinieblas del Génesis bíblico. Oscuridad, tinieblas, sombras,
óbrego, siniestro, tenebroso, negro, noche, son vocablos que se reite-
ran *ad infinitum*. Todo lo que implica amenaza, los aspectos negativos del hombre, la muerte, es oscuro. La noche es una maldición
que aqueja al hombre, "La noche es una ficción, es un castigo de
Dios que terminará alguna vez".
Úrsulo y Adán van a buscar al cura "para que fuese con ellos
a través de la noche". El tiempo nocturno adquiere una longitud

[65] Cirlot, *A Dictionary*, p. 73.
[66] "Night sky, earth, underworld, and primordial ocean are correlated
with this feminine principle, which originally appears as dark and darkly
embracing. The uroboric goddess of the beginning is the Great Goddess of
the Night" (Neumann, *The Great Mother*, pp. 211-12).

interminable. El cura inmerso en su soledad y su miseria piensa:
"«no amanecerá nunca», más que por el mundo exterior lo pensaba
por los corazones en los que la noche había varado. Por esos corazones temblorosos y en tinieblas de Adán y Úrsulo". En este caso
el énfasis descansa en la carencia de sentimientos de caridad y la
deshumanización de ambos personajes. Se ratifica al decir que ambos
pueden ver en la noche porque tienen su origen en lo oscuro.

La oscuridad tiene como propósito contribuir al tono abrumador
del ambiente, la situación de penuria y desolación que envuelve a los
personajes. La ausencia de todo indicio de esperanza.

Las tinieblas además aparecen en momentos de crisis, cuando los
personajes van a cometer un acto alevoso o criminal. La noche en
que va el pastor a confesarse de haber matado a su perro, es una
noche oscura, sin estrellas, en que no se ve nada. En ocasión del
robo de las joyas que el grupo revolucionario, dirigido por Calixto,
lleva a cabo, la ciudad duerme, negra, entre las sombras, una ciudad
oscura, en tinieblas, y Calixto "estaba ciego, caminando a ciegas en
un mundo bajo su dominio directo, pero mundo rodeado por el
abismo". Calixto en esta escena mata a uno de sus soldados y a la
vieja criada dominado por la codicia y un espíritu sórdido de poder.
Todo esto remite al principio cósmico, al vacío y al caos. La tierra
mexicana en tinieblas refleja la oscuridad moral que envenena al
país.

Simbolismo animal

Uno de los rasgos más consistentes de la novela es el uso de
imágenes que relacionan a los personajes y las fuerzas de la naturaleza con entes zoológicos. Revueltas no recurre al uso de paralelismos
convencionales sino que se esfuerza por crear imágenes violentas,
arcaicas, que causan un fuerte impacto en el lector. Estas imágenes,
generalmente símiles y metáforas, se ajustan al dibujo total de la
obra.[67]

[67] Ortega menciona brevemente el uso de imágenes animales (asociadas
a los personajes) en la obra de Revueltas, en varias partes de su tesis; concluye que "este recurso establece armonía entre el personaje y el primitivismo
mexicano", aunque se abstiene de analizar el simbolismo animal ("The Social
Novel," pp. 191-93).

La función que desempeñan estos motivos animales es la de reforzar la caracterización de sus personajes, acentuar dramáticamente el ambiente de barbarie y la naturaleza abyecta de sus criaturas.

El hombre primitivo se encuentra, psicológicamente, muy cerca del nivel animal. Instintos e impulsos en ese estadio del desarrollo evolutivo de la especie, evidencian que el hombre está totalmente bajo el dominio de las potencias *ctónicas* de la *Magna Mater.*

De acuerdo con Frye: "In the tragic vision the animal world is seen in terms of beasts and birds of prey, wolves, vultures, serpents... and the like." [68] Personajes y fuerzas naturales aparecen identificados con animales del mundo demoniaco, animales cuya agresividad es proverbial.

Entre la fauna empleada con más frecuencia descuella el ofidio mitológico, símbolo polivalente, con una variedad riquísima de posibilidades. En su aspecto negativo representa las fuerzas destructoras que plagan al hombre. Hay énfasis en el reino *ctónico,* pues hay una indudable relación en cuanto a su naturaleza *urobórica* y el principio femenino, por lo tanto con el vientre, los orígenes, haciendo referencia así al símbolo primordial: la serpiente circular que engendra y se fecunda a sí misma.[69] Otro aspecto digno de mencionar, por su relevancia dentro de la novela, es su innegable significado de instrumento de sacrificio, el cuchillo que mata, aunque por su carácter multivalente, asimismo, contiene un carácter regenerador.[70] Como es el caso de otros reptiles: el saurio, la iguana, que también son citados por Revueltas, la serpiente entonces evoca lo primordial, el inconsciente, el origen, los aspectos más arcaicos del hombre. En su aspecto mítico bíblico, en conexión inseparable con Adán y Eva, representa el germen de los males que acosan a la humanidad. Por otro lado la figura ofiomórfica es uno de los motivos fundamentales en los monumentos arqueológicos mesoamericanos y en México está asociado íntimamente con el complejo de Quetzalcóatl, como se verá más adelante.

El personaje de Adán está creado a base de comentarios explícitos, "resultaba irreal, mitológico", y simbolismo mítico tergiversado.

[68] Northrop Frye, *Fables of Identity: Studies in Poetic Mythology* (New York: Harcourt, Brace and World, 1963), pp. 19-20; *Anatomy,* p. 149.
[69] Neumann, *The Origins,* p. 10.
[70] Jung, *Symbols of Transformation,* p. 436.

Merced a la analogía insistente con la serpiente y otros animales igualmente peligrosos, se ratifica su naturaleza maligna.

Úrsulo medita sobre los crímenes cometidos por Adán y en la amenaza de muerte que pende sobre su propia cabeza. Adán es visto por Úrsulo como descendiente de los animales mexicanos precolombinos, del coyote, el ixcuintle, la serpiente, la iguana, "que tenían algo de religioso, bárbaro y lleno de misterio y de crueldad". Úrsulo en su calidad de mestizo mexicano está sin embargo muy cerca de Adán, de manera que ambos comparten esta naturaleza animal, despiadada y brutal. Ambos participan de la naturaleza *ctónica* de la Madre Terrible y su dependencia de ella se corrobora en palabras de Neumann.[71] Su linaje se remonta a las tribus nahoas que con terquedad mística caminaron por generaciones en busca del águila y la serpiente emblemáticas. "En ellos Cristo se inclinaba sobre la serpiente aspirando su veneno", Adán le habla al cura "con una indolencia reptante". Igualmente Adán: "Representaba a las víboras que se matan a sí mismas con prometeica cólera cuando se las vence. A todo lo que tiene veneno...". "La Borrada" tiene la "mirada recelosa de loba, el cuerpo de loba, el vaho de loba...". Un posible hijo de "la Borrada" y Adán "volveríase la tierra misma resurrecta en lobo y otra vez con la serpiente viva, con la serpiente emperatriz y la sangre renovada con otro, singular veneno". La mala índole del mestizo mexicano queda firmemente establecida.

En la iconografía nahoa el águila en su representación del sol aparece con un corazón en el pico, de los cuales se alimentaba. Uno de los monumentos aztecas reproduce a Chalchiutlícue, diosa de los ríos y los lagos, de su boca parece surgir un nopal, cubierto de tunas, que representan el corazón humano; el águila que lo corona lleva en el pico el jeroglífico del agua quemada, unión de los contrarios. Séjourné lo reproduce en su libro y cita a Caso, quien lo señala, como el emblema de la antigua capital azteca, Tenochtitlán.[72] El águila devorando a la serpiente, sería simbólicamente la victoria del principio espiritual sobre el principio *ctónico* inferior. Pero en el con-

---

[71] "The uroboric form of the oldest Mother Goddess is the snake, mistress of the earth, of the depths and the underworld, which is why the child who is still attached to her is a snake like herself" *(The Origins,* p. 49).

[72] Laurette Séjourné, *Pensamiento y religión en el México antiguo* (México: Fondo de Cultura Económica, 1957), pp. 120, 136, 137.

‹to cosmogónico mexicano en relación con Huitzilopochtli, dios
‹l sol y de la guerra, y con los sacrificios humanos —para Revuel-
s— el águila, como la serpiente, representa el espíritu sanguinario
predatorio de los aztecas y de sus descendientes los mexicanos
ntemporáneos:

> La muerte tomaba con frecuencia esa forma de reptil inesperado.
> Agredía a mansalva y agrandándose simplemente para dejar la mor-
> dedura y retroceder a su rincón húmedo. Una víbora con ojos casi
> inexpresivos de tan fríos, luchando, sujeta por el águila rabiosa, in-
> vencibles ambos en ese combate eterno y fijo sobre el cacto doloroso
> del pueblo cubierto de espinas... Mientras persistiera el símbolo trá-
> gico de la serpiente y el águila, del veneno y la rapacidad, no habría
> esperanza. Habíase escogido lo más atroz para representar —y tan
> cabal, tan patéticamente— la patria absurda, donde el nopal con sus
> flores sangrientas era fidedigno y triste, los brazos extendidos por
> encima del agua, cruz extraña y tímida, india y resignada. (pp. 196-97).

Su visión del país crucificado es dolorosa, sus pobladores son
‹ctimas y verdugos, cuando el odio se desata el hombre se convierte
1 un "animal oscuro".

Entre los antiguos mexicanos el culto a la serpiente llega a su
1áximo apogeo. Ya en Europa era un símbolo cósmico que repre-
ɛntaba la tempestad. Como símbolo del huracán, se encuentra en
ɛtrecha relación con la lluvia. La serpiente abarca y contiene las
guas y así aparece en los códices mexicanos.[73]

Según Plancarte la serpiente está asociada con Quetzalcóatl, quien
ajo la forma del Ehécatl, dios del viento, representa a ese elemento
tmosférico, sin embargo su función primaria en México es en re-
ación con las aguas y si éste es el caso, afirma, entonces el águila
ɛ convierte en símbolo del viento.[74] Puesto que ambos elementos,
gua y viento, y el águila y la serpiente, como símbolos, se usan
ɛiteradamente, es conveniente ahondar un poco en ellos. El río apa-
ɛce bajo el símbolo mitomórfico de la serpiente: "Ahora estrechaba
us anillos y era el río. Su deslizarse cauteloso se oía sobre las pie-

[73] Fernando Ortiz, *El huracán, su mitología y sus símbolos* (México:
`ondo de Cultura Económica, 1947), pp. 471, 473.
[74] Francisco Plancarte y Navarrete, *Prehistoria de México* (México: Im-
▸renta del Asilo, "Patricio Sanz", 1923), pp. 449, 450.

dras, con rumor de escamas líquidas, de piel acuática". El río, a su vez, adquiere calidad de símbolo. La serpiente y el río conjuntamente dramatizan la situación moral de México, la confusión y la tragedia que provocó la rebelión cristera: "Aquello descomunal, todo aquello insensato y extraviado, la inútil sangre, la fiereza, el odio, el río sucio a mitad del país, negro, con saliva, la serpiente reptando. ¿Qué pueblo asombroso, qué pueblo espantoso?". Ese aspecto negativo se corrobora con el simbolismo del río sucio, negro, que, de acuerdo con Villegas, "...se incorporan a la tradición poética de las aguas turbias portadoras de infortunio, tristeza o dolor. Las aguas negras que corren son presagio de tormenta".[75]

Hablando de sí mismo en una entevista, el autor se considera fruto de "un país monstruoso" que podría ser representado por la fusión del caballo, la serpiente y el águila, país agobiado por sus contradicciones.[76]

También el caballo es objeto ocasional de sus paralelismos. Símbolo multivalente, el caballo, como una manifestación del inconsciente, que es el aspecto que aquí concierne, proviene del mundo *ctónico* en relación con los instintos incontrolados del hombre arcaico.[77] Revueltas utiliza esta imagen en relación con el río, fuerza de destrucción y muerte, y describiendo el crepúsculo en que Adán decide la muerte de Natividad.

[75] Juan Villegas, "El leitmotiv del caballo en *Bodas de sangre*", *Hispanófila*. No. 29 (1966), p. 27.

[76] Díaz Ruanova, " 'No he conocido ángeles', dice Revueltas", *México en la cultura*, No. 69 (28 de mayo de 1950), p. 3.

[77] Del caballo ha dicho Eliade que es, como la serpiente, un animal *ctónico* y Martin Stienson cree que encarna las fuerzas ciegas del caos primordial. Para Diel simboliza la exaltación de los deseos, en una palabra, el aspecto instintivo del hombre primitivo. (Cirlot, *A Dictionary,* pp. 144, 145.) En concepto de Jung, "Wild horses often symbolize the uncontrollable instinctive drives that can erupt from the unconscious..." *(Man and His Symbols,* p. 174). Véase también el artículo sobre García Lorca de Julian Palley ("Archetypal Symbols in *Bodas de sangre*", *Hispania*, 50, No. 1 [marzo 1967], 74-79), para quien el caballo representa virilidad y fuerza masculina. Concepto que concuerda con el expresado por C. M. Bowra en *The Creative Experiment* (London: Macmillan, 1949), interpretaciones bastante apartadas del significado que le adjudica Revueltas. En cambio se encuentra emparentado con el aspecto fatídico que analiza Villegas en el tercer acto del drama lorquiano, en el que es "símbolo de violencia... que lleva a la muerte... que conduce... a la destrucción" ("El leitmotiv del caballo", pp. 35, 36).

El motivo de la mariposa, identificada con el viento y la muerte, tiene un ritmo terco, obsesivo. Su simbolismo está ligado a Itzpapalotl, mariposa del cuchillo de obsidiana, Diosa Terrible, y a Úrsulo, descendiente y equivalente del propio instrumento.

La novela hace uso de muchos otros motivos animales, mordaces e incisivos, que en ocasiones rayan en lo grotesco como al describir a Marcela llevando a cuestas a Jerónimo: "Renqueaba caminando pesadamente y con las piernas abiertas, parecida a un animal extraño, prehistórico, que tuviese algo de mujer, de mujer sangrienta y fea, con su joroba, con su pirámide, como esos dromedarios a los que les nacen yerbas y plantas en la insensible piel". La deshumanización del personaje en un momento de conflicto es realizada por el símil animal. Al aceptar Cecilia las atenciones amorosas de Calixto, Úrsulo con rencor piensa en su mujer "como un animal negro, desesperado". Calixto en el acto de robar las joyas envuelve los cascos de los caballos para evitar cundir la alarma, "el rumor era sordo, reptante como si caminaran encima de gigantescos saurios".

Cucarachas gigantes, zopilotes que piensan, aves negras que "chillan y aletean", todo es "un regreso a lo animal". El hombre así descrito desciende al nivel de las bestias. Los símiles zoológicos, como el motivo de las tinieblas, cobran sentido en su invectiva de un mundo infrahumano.

Simbolismo vegetal

En las sociedades agrícolas los hombres y mujeres son primordiales y arcaicos, con raíces telúricas, puesto que representan el elemento milenario de la civilización. El lazo entre la mujer y la planta se encuentra en todas las etapas del simbolismo del desarrollo humano y la *Magna Mater* mantiene un íntimo parentesco con el mundo vegetal. Por su papel de diosa de la tierra y de la fertilidad, del agua y de la vida, de la agricultura, la *Magna Mater* es la que gobierna y preside el reino vegetal.[78] Úrsulo tiene en la boca "una

[78] "Man has achieved little independence and is still close to the maternal womb. This proximity to the womb is not only the cause of the frequent mythical transformation of men into plants but also of the magic by which human beings —and at first precisely women— attempted to influence the growth of plants" *(The Great Mother, p. 262).*

apretada dentadura de elote". Úrsulo ama a Cecilia "cual un árbol desnudo y pobre. Amor de árbol, de cacto, de mortal trepadora sedienta". Cecilia tiene un "recuerdo casi vegetal" del episodio cuando ella era aún un feto dentro del vientre materno. El indio zapoteca hincado en el templo de Santo Domingo en Oaxaca, lloraba rogando a Dios: "...cual si la voz partiese de una inconcebible garganta vegetal, con espinas y agrio zumo, como si del chicayotl humilde y agresivo, uniéndose a esta voz de aquí, o como si de las biznagas hirientes de un yermo. Aquello desdibujado, elemental, era, ciertamente, la planta llena de espinas, naciendo dondequiera, avergonzada de ser fea y pobre, pugnando hacia el bien y la belleza con sus flores blancas que nadie desearía jamás". El cura tratando de contestarse la pregunta de lo que era el bien piensa que: "Era sentir el sufrimiento de no remediar nada y de que el hombre es una hoja pequeña, con su pequeña savia como un lamento mínimo en medio de la gritante tierra". Todos ellos ya muertos caminaban dentro de sus cuerpos-ataúdes: "árboles muertos, sin capacidad alguna para florecer". Chonita, hija de la tierra seca, Cecilia, "Era una flor con las raíces podridas, languideciendo diariamente... Una fiebre helada le fue penetrando por las uñas, primeras que murieron, con su ligero color de maíz morado. Eran granos de maíz creciendo por los dedos, como por dentro de una tierra capital, y terminaron levantándose sin espigas, con sus hojas de otoño infantil, de atroz otoño".[79] El agua al caer sobre su breve cuerpecito inerte "tornábase verde sobre el musgo que ya lo iba ocupando todo". Durante el robo en el que Calixto se apodera de las joyas él es "frágil como un arbusto sacudido por la lluvia". Todos los habitantes del miserable pueblucho son como "un huizache sarmentoso... huizaches cubiertos por el polvo, pequeños ya, alentando apenas un gemido breve entre sus ramas abatidas".

Entre los descubrimientos que hace Adán está el de comprender que no es dueño de su destino, "que su alma era una hoja perdida

[79] Esta descripción evoca la relación que ofrece la antropóloga Séjourné sobre los colores morados, rojo o blanco, representaciones de las tiernas espigas del maíz, y su carácter virginal, en las figurillas femeninas de Tlatilco, México (*Pensamiento y religión*, p. 62).

en la borrasca, sin asidero alguno, zarandeada a capricho y carente de albedrío". Úrsulo ve a Adán "como un vegetal zoológico; en la transición que hubo de los vegetales a los animales y cuando las ramas empezaron [a tener] sensibilidad... era una yedra con penamiento... mientras en las vértebras mezclábanse la savia y la sangre".

Simbolismo mineral

La petrificación cabe de la misma manera dentro del perímetro de la Madre Terrible pues la rigidez es el estado que sigue a la muerte y en el reino mineral es también parte del simbolismo de la *Magna Mater*. Lo rígido es el extremo opuesto a lo fluido en la corriente vital de todo organismo. Es una expresión psíquica para indicar la esclerosis del alma, su estatismo, la muerte espiritual. Hay varios ejemplos míticos asociados con la petrificación como el caso de la mujer de Lot; el de Medusa que con la mirada convertía en piedra lo que veía, Ulises confronta a menudo ese peligro. En los ojos de Adán sólo se percibe el tezontle de su raza, sus ojos son inescrutables. Él y Úrsulo son como pedernales, "piedras capaces de luz y fuego, pero al fin piedras dolorosas". Sus ojos son "piedras ágiles, secas, vivas y afiladas; piedras que podían cortar". Úrsulo acepta este origen pétreo ancestral y su nulificación como ser humano. "El país está anegado de sangre y agua de piedra". El mejor ejemplo es la petrificación del cura debido a su "piedad muerta", poco a poco la piedra va ascendiendo por su cuerpo: "Había muerto ya en más de la mitad y pronto su corazón estéril iba a quedar fijo, oxidado, dentro de la muralla de piedra".[80]

[80] La petrificación del sacerdote tiene ecos en dos personajes literarios de la reciente novela mexicana. Uno es Pedro Páramo, personaje epónimo de Juan Rulfo, y la otra Isabel Moncada en *Los recuerdos del porvenir* de Elena Garro. M. Portal ha señalado el paralelismo con Pedro Páramo y Merault de *La mort heureuse* de A. Camus. En su opinión este hecho puede ser ignorado por estos autores *(Op. cit.,* pp. 187-188). La obra de Camus se publicó póstumamente en 1971. A nuestro entender sería extraño que un hombre de la cultura de Juan Rulfo no hubiera leído una obra fundamental de la literatura de su país.

La piedra en forma fragmentada, polvo, arena, hace alusión a la disolución psíquica, la derrota, la muerte del individuo".[81] Al salir Úrsulo de su casa en busca del sacerdote la arena lo sofoca, "Era una arena como si el viento se hubiera vuelto sólido y sus extrañas materias, su vivo oxígeno, también se hubieran muerto dispersándose en piedra múltiple e infinita". Revueltas usa el modo más efectivo de hacer patente el estancamiento moral y la desintegración de la personalidad de sus personajes.

Simbolismo de la invasión de las aguas

El mito de la catástrofe que destruye el mundo tiene un carácter autóctono y simultáneamente universal. La cosmogonía azteca sustenta que hubo cuatro edades o soles, el primero fue destruido por una inundación; en el segundo los cielos se desplomaron por la fuerza del viento.[82] En el libro sagrado de los maya-quichés la tierra se anegó. Los pobladores, hombres hechos de madera, se multiplicaron, pero como carecían de alma y entendimiento, caminaban sin meta y sus carnes estaban secas porque no tenían sangre y por ello olvidaron a su Creador. Fueron aniquilados por un gran diluvio.[83]

El diluvio bíblico sin embargo es la versión más comentada por su amplia difusión y porque se tiende a otorgarle una base histórica. Las aguas, el caos y el desorden son, *fons et origo*, a la vez que término de vida y creación. Ofrecen la dicotomía fundamental muerte-renacimiento. En los primeros versículos del libro del Génesis tal es la situación de la cual ha de surgir el orden, la luz, todo lo creado. El diluvio es una disolución de la totalidad existente, una regresión a la condición amorfa de los orígenes. De acuerdo con Jung, el mundo se ve amagado por las fuerzas primitivas de la pasión y ésta debe ser extirpada, lo que viene a significar en el plano mitológico

---

[81] Cirlot, *A Dictionary*, pp. 241, 299; Neumann, *The Great Mother* p. 166.

[82] León-Portilla, "Mythology of Ancient Mexico", p. 450.

[83] "Y esto fue para castigarlos porque no habían pensado en su madre ni en su padre, el Corazón del Cielo, llamado Huracán. Y por este motivo se oscureció la faz de la tierra y comenzó una lluvia negra, una lluvia de día, una lluvia de noche". *Popol Vuh: Las antiguas historias del Quiché*, trad Adrián Recinos (México: Fondo de Cultura Económica, 1952), p. 31.

hat the race of Cain and the whole sinful world must be wiped
It, root and branch, by the Flood".[84] Así interpretado el diluvio
una muerte ritual, la destrucción de la humanidad degenerada,
terminio del hombre "antiguo" como punición y promesa de re-
neración. Según Eliade la inmersión en las aguas del diluvio es
ralela al rito del bautismo que lava los pecados del mundo. El
luvio no debe considerarse como el fin de la creación; la reintegra-
ón al caos primigenio es una revitalización del arquetipo primordial
cual sólo confirma el concepto del eterno retorno. Este principio
mite que una pareja mítica se preserva, de la cual la nueva huma-
dad ha de surgir. La invasión de las aguas del río, la tormenta, la
via, se traducen como una manifestación de confusión y conflicto:
a sociedad agónica en camino hacia su propia destrucción.[85] Por
asociación con la *imago materna* muchas de las características
minosas de la Gran Diosa son transferidas a las aguas. Debido a
carácter ambivalente, comparten sus aspectos positivos y nega-
os, crecimiento y fecundidad, destrucción y muerte. El agua in-
sora que brota de las entrañas de la Madre Tierra representa los
pectos más oscuros del inconsciente, el elemento urobórico abisal.
tre los antiguos mexicanos, según estudios hechos por Preuss, la
enaza mortal procedente del occidente y de la Madre Terrible
ene a ser interpretado como el diluvio y la invasión total de las
uas.[86] El río, piensa el viejo campesino, "Es nuestra madre y
estro padre. A veces nos da y a veces nos niega. Entre sus manos
oriremos". Es una "Deidad ciega y caprichosa", por lo general
lo ha traído muerte a los habitantes del paupérrimo poblado en
épocas de infernal sequía y ahora cubriéndolo todo con su "agua
emiga". La analogía bíblica se reafirma con la frecuente alusión
río desbordado "como en la Biblia". La inundación que los abate
arca proporciones cósmicas, el planeta entero, ¿Adónde ir? "¿A
é lugar, cuando probablemente la tierra estuviese inundada com-
etamente, desde los lejanos nombres extranjeros de ciudades hasta

---

[84] *Symbols of Transformation*, p. 112.
[85] Estas ideas tienen amplia aceptación y han sido discutidas por muchos
tores; entre ellos se encuentran Jung, *Symbols of Transformation*, p. 116;
iade, *El mito del eterno retorno*, p. 59; Cirlot, *A Dictionary*, p. 75.
[86] Neumann, *The Great Mother*, p. 187.

éstos de aquí que eran santos católicos seguidos por el nombre p
voriento y triste de alguna ciudad indígena?". "En efecto iban a d
aparecer para siempre: asimismo la región entera y el país y
mundo". Estos hombres constituyen la humanidad: "Ningún pue
tan grande como aquellos cuatro náufragos heridos a un mismo tie
po por el rencor y la esperanza".

El motivo del naufragio para expresar el desastre que los emba
es usado reiteradamente. El barco, microcosmos que representa
sociedad y el viaje, tránsito del hombre sobre la tierra, es un te
frecuente en la literatura. En el mito bíblico del diluvio Noé y
familia, criaturas predilectas, son los escogidos por el Señor p
llevar a cabo la misión divina de continuar la especie al refugia
en el arca. Con ellos la humanidad es renovada y el ritual de pur
ción se lleva a cabo. El mito es desvirtuado por Revueltas, "
náufragos" van a perecer, su nave ha zozobrado. El cataclismo
definitivo. No hay resurrección para ellos. Seres que han perd
toda noción de dignidad, no merecen ser salvados para perpetuar
estirpe humana. El sacerdote como supuesto "capitán de navío"
fallado en su empresa de procurar la salvación de la tripulación a
cargo. Lleno de soberbia, como su feligresía, sólo piensa en salva
y sobrevivir. El naufragio es un modo de aludir al motivo de
soledad, la orfandad ontológica propia de la literatura existenc
lista.

Simbolismo de los pies y el caminar

Como puede observarse en la mayoría de las figurillas arcai
existentes, el aspecto de la *Magna Mater* que más se destaca es
de la esteatopigia. Esto se atribuye a la importancia de los ritos
fertilidad y a su consabido carácter sedentario. Antitéticamente
pies son símbolo de dinamismo, aunque también están en un ent
ñable contacto con el mundo *ctónico* y telúrico. Así veremos
relación intrínseca que existe entre esta parte del cuerpo huma
los mexicanos y la *Magna Mater*.[87]

[87] Seymour Menton ha señalado el énfasis en la acción de caminar,
esta novela de Revueltas, que tiene su antecedente en *Los de abajo* de

Vale la pena observar el énfasis iterativo que en la novela se otorga a la acción de caminar, por extensión a los pies. Los personajes están condenados a caminar como una punición impuesta al hombre dada su condición perecedera, humana. "Caminemos", exhorta el cura a Adán y Úrsulo al iniciar el viaje hacia el otro lado del río. Contemplando simultáneamente los pies que se hunden en el lodo piensa, "Pies fundamentales, sustantivos. Sobre ellos se levanta la estatua del hombre, pero en las manos fue también herido Jesús. Y de las manos sale el trabajo, la dura azada, el varonil martillo". El tener los pies en la tierra otorga calidad humana, es decir terrenal, se es vulnerable al sufrimiento y al dolor, Jesús tan terrenal como todos los mortales, sujeto a los clavos y a la cruz no pudo salvarse. El cura siente que sus propios pies están traspasados por los clavos y asimismo los de Adán y Úrsulo.

De todas las partes del cuerpo, pies y manos adquieren especial importancia en la Biblia. En repetidas ocasiones las manos se destacan en una forma concreta. El trabajo manual, tanto de los hombres como de la divinidad, es glorificado con frecuencia.[88] Pero son los pies los que adquieren verdadera importancia dado el carácter nomádico de los antiguos hebreos y de los antiguos mexicanos. En ambos pueblos se seguía la costumbre de lavar los pies del huésped en señal de hospitalidad y respeto.[89]

Tanto en la Biblia como en los códices precortesianos los pies trascienden su sentido literal para alcanzar categoría de símbolos. Es por los pies que ambos pueblos llevan a cabo su peregrinaje cruzando desiertos, llanuras, por generaciones hasta llegar a "la tierra prometida". Por consecuencia no causa sorpresa que los pies adquieran especial significado en el Antiguo Testamento. De modo semejante en los códices naboas con frecuencia aparecen las huellas de los pies para transmitir la idea de "camino" o "caminar".[90] Las ocho tribus nahoas —como las tribus israelitas— vagaron por mucho tiem-

riano Azuela en "La estructura épica de *Los de abajo* y un prólogo especulativo", *Hispania*, 50, No. 4 (diciembre 1967), 1004.

[88] Mary Ellen Chase, *Life and Language in the Old Testament* (New York: Norton, 1955), pp. 121, 122.

[89] Sahagún, *Historia general*, III, 83; Chase, *Life and Language*, p. 124.

[90] María Sten, *Las extraordinarias historias de los códices mexicanos* (México: J. Mortiz, 1972), p. 20.

po, procedentes de un lugar mítico, Chicomoztoc, inspirados por s
dios Huitzilopochtli, quien les ordenó ir en busca de la tierra pro
metida, cuya señal era la presencia del águila sobre el nopal de
vorando a la serpiente.[91] El peregrinaje de los aztecas, de mod
semejante está plagado de congojas, vicisitudes, persecuciones, sufri
miento y muerte. Úrsulo y Adán comparten este legado común:

> Ellos eran dos ixcuintles sin voz, sin pelo ,pardos y solitarios, pro
> cortesianamente inmóviles, anteriores al Descubrimiento. Descendía
> de la adoración por la muerte, de las viejas caminatas donde edade
> enteras iban muriendo, por generaciones, en busca del águila y la se
> piente... desde las primitivas pisadas del hombre misterioso, del po
> blador primero y sin orígenes. (p. 184).

Se repite la idea de que estos hombres a quienes acompaña e
cura, "caminando", forman su iglesia. Tanto el cura como la desola
dora pareja forman un cuerpo sometido a los mismos errores
castigos. Era: "Justo preciso, indispensable caminar, ahora que n
tenían sitio. Caminar intensamente... huyendo". El caminar es usad
en la Biblia para exponer una empresa que lleva implícita tod
suerte de peligros y aflicciones.[92] De igual manera en *El luto human*
la idea de caminar va ligada a la idea de tribulaciones y quebran
to. Durante la Revolución, el pelotón de soldados perdidos sin pode
enfrentarse al enemigo, cavila:

> Aquello no era la Revolución; aquello no era nada. Caminar ta
> sólo, caminar, caminar... Si apareciese un solo federal lo tomaría
> con ellos para rebanarle los pies y hacerlo caminar muchos, muchí
> simos kilómetros sobre el fuego de la tierra, hasta que muriese..
> Caminar, caminar sin descanso. (p. 297).

Lo mismo en la Biblia que en los Códices e historias de lo
antiguos mexicanos la marcha se produce, bajo los designios de l
divinidad para su pueblo, en una empresa mística. El caminar est
íntimamente asociado con la idea de movimiento, el mitema de
viaje, el cual a su vez conduce al de la búsqueda. El entronque co
el errar bíblico se establece al aludir al "éxodo", palabra cuyo signi

[91] León-Portilla, "Mythology of Ancient Mexico," p. 460.
[92] Chase, *Life and Language,* p. 184.

ficado se nos recalca, "expresa búsqueda de nuevas tierras". Los cuatro seres atormentados comprenden que su anhelo de huir no es sino una búsqueda, un afán de descubrir "un sitio de tierra vital donde pudieran levantarse". Están condenados a "caminar", a "buscarse", sólo que esta vez desesperadamente, "sin meta".

Los aztecas, tribus nómadas, bárbaras, miserables, perseguidas, de oscuros e ignorados orígenes, son los fundadores de la gran Tenochtitlán. El luto que guardan los mexicanos es la ausencia de una noción clara de este origen y destino:

> El mexicano tiene un sentido muy devoto, muy hondo y respetuoso, de su origen. Hay en esto algo de oscuro atavismo inconsciente. Como ignora su referencia primera y tan solo de ella guarda un presentimiento confuso, padece siempre de incurable y pertinaz nostalgia... Quizá añore una madre terrenal y primigenia y quiera escuchar su voz y su llamado. (p. 294).

La nostalgia por la madre se expresa profusamente en la Biblia. El peregrinar es una nostalgia de la madre perdida. Muchas formas de nostalgia se nos dice, no son más que un retorno al incesto urobórico y a la auto-destrucción.[93] El mexicano habiendo negado a la madre india primordial resiente su orfandad, así no causa extrañeza que recurra a los mitos para crear el culto popular de la virgen indígena de Guadalupe, "madre" del pueblo mexicano.[94] La nostalgia del vientre materno es también nostalgia del espacio representado por el "ombligo" del universo, el cual es un símbolo arquetípico. Este simbolismo hace referencia al carácter femenino de la tierra en su fase de *generatrix* que coincide con el lugar de procedencia o un centro religioso.[95]

Octavio Paz señala que "la cuestión del origen es el centro secreto de todas nuestras preocupaciones y angustias. Este oscuro sentimiento de culpa, [es] fruto de nuestra soledad, de nuestro sabernos des-

---

[93] Jung, *Symbols of Transformation,* pp. 205, 212; Neumann, *The Origins,* p. 17.

[94] José Revueltas confirma esta interpretación en una entrevista hecha en el seminario del CILL, al discutir el problema del claustro materno y de la orfandad del mexicano *Conversaciones con José Revueltas,* p. 38.

[95] Neumann, *The Great Mother,* p. 132.

prendidos del ámbito materno..."[96] La nostalgia surge una y otra vez como un *ritornello* doloroso.

Revueltas transcribe las palabras de Quetzalcóatl al abandonar a su pueblo, en una cita tomada de Sahagún, y añade un largo párrafo poético.[97] Quetzalcóatl entre muchas otras hazañas es el creador del primer hombre. Para ello emprende un descenso a los infiernos, en su viaje a Mictlán, la Región de los Muertos. Tras una serie de pruebas iniciáticas que le impone Mictlantecuhtli, rescata los huesos de un hombre y una mujer, sus antepasados, y los lleva a Tamoanchán, ciudad mítica, lugar de origen, la patria del género humano. Después de molerlos en una vasija de barro los rocía con sangre extraída de su pene y les da vida. Es a través de un autosacrificio que comienza la vida humana después de la destrucción del cuarto sol. Este acto simboliza el renacimiento del hombre a la vida espiritual.[98] Es también Quetzalcóatl quien procura, convertido en hormiga, las semillas de maíz y las entrega a los dioses, quienes después de masticarlas, las ponen en la boca de la pareja primordial "so they might live and be strong".[99]

Quetzalcóatl constituye uno de los mitos más extraordinarios del continente americano. Con su partida desaparecen los más altos ideales éticos y culturales del mundo mesoamericano. Quetzalcóatl, incorruptible, se niega a introducir el sacrificio humano, por lo que engañado por Tezcatlipoca y otros hechiceros, se embriaga y comete incesto. Su caída lo obliga a huir en una bolsa de serpientes hacia

---

[96] Octavio Paz, *El laberinto de la soledad* (México: Cuadernos Americanos, 1950), p. 86. Paz escribe una fascinante exégesis de la urgencia del mexicano de llegar a sus raíces, del rechazo de la madre, del mito de la Malinche y su trascendencia en el mexicano de nuestros días. Confirma que "la historia de México es la del hombre que busca su filiación y origen" (p. 19), llama nuestra atención al hecho de que "Es significativo que el 'Viva México, hijos de la chingada' sea un grito patriótico, que afirma a México negando a la chingada y a sus hijos... En ese grito condenamos nuestro origen y renegamos de nuestro hibridismo... Al repudiar a la Malinche-Eva mexicana, según la representa José Clemente Orozco en su mural de la Escuela Nacional Preparatoria —el mexicano rompe sus ligas con el pasado, reniega de su origen y se adentra solo en la vida histórica" (pp. 87-88).

[97] Sahagún, *Historia general,* I, 290.

[98] Séjourné, *Pensamiento y religión,* p. 81.

[99] León-Portilla, "Mythology of Ancient Mexico," pp. 452-53.

l oriente, no sin antes prometer que volverá. Otra versión asegura
que se prende fuego y convertido en pira se transfigura en el planeta
Venus o en el lucero de la mañana.[100]

Revueltas añade "[sobrevino] el tiempo nocturno... Comenzaba
l manto de lágrimas... Algo los abandonaba. Una estrella última
urcó el espacio como sin dejar huella". Tlapallan se convierte en el
sitio del misterio "para siempre nostálgico". Con la huida de Quetzalcóatl se anula la vida espiritual del mexicano.

La tesis de Sejourné sostiene que en la época arcaica el concepto
del individuo no existía; Quetzalcóatl inicia al hombre "en los misterios de la vida interior que lo libera de la soledad desamparada
de la existencia preindividual".[101]

Los toltecas y Quetzalcóatl son reemplazados por los aztecas y
Huitzilopochtli, dios del sol y de la guerra, quienes imponen la consumación del sacrificio humano. Este rito, visto como una necesidad
cósmica, cultiva una atmósfera de terror y odio por el tributo de
sangre que implica. Es este legado sangriento el que Revueltas condena en el mexicano contemporáneo.

La promesa del retorno de Quetzalcóatl tiene un epílogo trágico,
la fecha Ce Acatl señalada como aquella de su regreso coincide con
el advenimiento de los españoles.[102] Así Cortés asume temporalmen-

---

[100] Séjourné, *Pensamiento y religión*, p. 64; León-Portilla, "Mythology
of Ancient Mexico," p. 458.

[101] *Op. cit.*, p. 65. La antropóloga va aún más lejos y: aclara que al
escoger este astro, Quetzalcóatl coloca al hombre "en el centro del drama
cósmico... Sus pecados y sus remordimientos corresponden al fenómeno de
la encarnación de esta luz y a la dolorosa pero necesaria toma de conciencia
de la condición humana; su abandono de las cosas de este mundo y la hoguera fatal que construye con sus propias manos señalan los preceptos a seguir
para que la existencia no sea perdida: alcanzar la unidad eterna por el des-
prendimiento y el sacrificio del yo transitorio" (p. 69).

[102] Al respecto asienta León-Portilla: "On this subject the Spanish chro-
nicles and the accounts of the native wise men are eloquent and their
descriptions of the initial convergence of the two distant civilizations and
modes of thought are themselves stamped with the full impress of the myth...
However the hypnotic effects of the myth endured but a short time. The
supposed Quetzalcóatl did not play the part of the benevolent hero and creator
of the arts, nor did his gods conduct themselves in a god-like manner. 'Those
bearded men' as the Indians said 'were not Quetzalcóatl and his gods. They
were strange and mighty *popolocas* (barbarians) who had come to destroy
the ancient civilization and religion' " *op. cit.*, (p. 446).

te, sin pretenderlo, la identidad de Quetzalcóatl e impone una religión tan pavorosa como la que destruye. Para Revueltas el catolicismo en México, a fin de cuentas, se asimila a la religión indígena y hace "retroceder al hombre hasta su yo antiguo y defender en Dios el derecho de la sangre". La traición y la actitud cainita que los pueblos adoptaron frente al hecho épico de la conquista fue un fratricidio infructuoso. Todos salieron perdiendo, excepto Cortés, quien los traicionó a todos. Hermanos lucharon contra hermanos a favor del imperialismo español en contra de sus propios intereses. Fueron los indios quienes en verdad llevaron a cabo la conquista.

En cuanto a la deserción de Quetzalcóatl es un hecho que convulsionó de una manera traumática al pueblo mexicano. El luto y el llanto nostálgico no es por Chonita, accidente transitorio terrenal, sino "por otra muerte, lejanísima y consustancial, común a todos..."

México se perfila como país paradójico, doloroso, sombrío, país sin asideros. Los habitantes del campo hoscos y solitarios, embozados en sus sarapes, como extraños habitantes de otro planeta. Las revoluciones intestinas dejan su herencia de caos y disolución. Robar y matar adquieren carta de ciudadanía. Toda la novela está impregnada de una visión crítica; dos episodios recapitulan esta actitud. Después de matar a Gabriel por razones personales, Adán es reprendido por sus superiores; al saber la causa, el Gobernador y su asistente lo justifican, pues "La mujer, el caballo y la pistola son cosa sagrada". Al terminar la Revolución un guerrillero expresa su deseo de obtener un pedazo de tierra para trabajarla, el consejo de su superior es tomarla donde la halle y si le reclaman, ya sabe qué hacer con la carabina.

El ambiente de corrupción y la pérdida de los valores morales es tan execrable como el proceder del hombre que encerrado y cubierto en su manta se aísla de sus congéneres. Este egoísmo se concretiza principalmente en la actitud de Cecilia, Calixto, Úrsulo, y el cura.

El luto humano es una obra con una punzante y amarga crítica social y política. La plasmación de esta realidad tiene dos fines, por un lado poner al desnudo las lacras de que adolece el país; por otro demostrar cómo tal ambiente crea individuos tercos, supersticiosos, egoístas, angustiados.

La Iglesia a través de la petrificación del sacerdote da pruebas de su inoperancia en llevar a cabo su labor de salvación espiritual. Es una religión del pasado sin significado, que ha ido degenerando en formas exteriores carentes de contenido vital. Una repetición mecánica de ciertos rituales y ceremonias despojadas de su sentido original y por lo tanto nulificada como fuerza espiritual revitalizadora.[103]

El país es calificado de absurdo, basado en una religión siniestra en la que se tortura y mata en nombre de un Dios que proclama como mandamiento divino el "No matarás" y un gobierno interesado en sus propios fines, que ignora la miseria y necesidades del pueblo. A través de la novela se sostiene pujante la nota vibrante de protesta contra la injusticia y el sufrimiento humanos.

[103] Esta era la realidad que imperaba hace treinta y cinco o cuarenta años cuando las novelas fueron escritas. Hoy día estas afirmaciones resultan obsoletas. Muchos miembros del clero han tomado posiciones verdaderamente de vanguardia en la denuncia de las armas nucleares y en la lucha revolucionaria a favor del pueblo en Hispanoamérica. Esta actitud está ejemplificada por el Arzobispo Óscar Romero en El Salvador y la postura militante del sacerdote y poeta Ernesto Cardenal.

CAPÍTULO IV

MOTIVOS ARQUETÍPICOS

Este último capítulo se propone señalar y comentar la presencia de varios motivos arquetípicos concurrentes en casi toda la obra de José Revueltas, partiendo de las dos obras previamente analizadas: *Los días terrenales* y *El luto humano*. Estos motivos realizan una función cohesiva y unificadora, a la vez que contribuyen a enriquecer y apuntalar la *Weltanschauung* revueltiana. Se han identificado y seleccionado cuatro motivos predominantes: el *pharmakos,* Caín, el descenso a los infiernos y la oscuridad-ceguera-luz-el ojo.

El pharmakos

En su ficción reaparece asiduamente la víctima sacrificada, el agonista no necesariamente afiliado a ideologías o categorías sociales. Esta víctima perseguida y atormentada por los otros, es el tipo de individuo que en antropología, psicología y la crítica literaria se reconoce con el nombre de chivo expiatorio o *pharmakos.*[1]

Revueltas, a la búsqueda de un renacimiento espiritual dentro del estancamiento moral que sofoca al hombre, incorpora este motivo en su obra en múltiples ocasiones. La mayoría de las veces se vale

---

[1] Según Frye, "The character in an ironic fiction who has the role of a scapegoat or arbitrarily chosen victim" *(Anatomy,* p. 367). Véase también Edward C. Whitmont, *The Symbolic Quest* (New York: Putnam's Sons, 1969), p. 162; Erich Neumann, *Depth Psychology and a New Ethic* (New York: Putnam's Sons, 1969), p. 50

de imágenes cristianas, puesto que Cristo es el ejemplo más conocido a través de los siglos, en la cultura occidental, de la figura trágica del sacrificio ritual.

En *El luto humano* el motivo del *pharmakos* adquiere proporciones obsesivas de gran vigor. El motivo se fragmenta a través de un buen número de personajes; el rostro parece ser interminable. Así, personajes de primera magnitud como el cura, fuerza negativa en la sociedad, es simultáneamente víctima y víctimario. Al desprenderse de la soga que lo une a los otros, la última frase de Jesucristo en la cruz brota de los labios del cura: "Todo está consumado".[2] El cura establece la asociación entre los pies de Cristo, los pies de Úrsulo, los de Adán y los suyos propios; los pies heridos clavados en la cruz, cuando Jesús murió clamando al Padre: "¿Por qué me has abandonado?"[3]

De igual manera personajes menores y aún seres irracionales van surgiendo como víctimas de la psicología del *pharmakos*. A través de los recuerdos del sacerdote surge el episodio de "El Príncipe", muerto a garrotazos por su colérico amo:

> ¿Ese perro, padre mío, no sería El? murmura en su confesión el hombre. ¿Si no sería en realidad, cuando sucede que así, caminando, en un hermano, en un amigo, en una mujer, en la sangre de un herido que agoniza, en un animal, de pronto está Jesús, crucificado para siempre? (I, p. 229).

El enganchador de esquiroles que cae en manos de la masa ciega de indios se convierte en víctima de sus previas víctimas. Es el caso también del maestro rural mutilado (cuyo incidente reaparece como núcleo central del cuento "Dios en la tierra") a quien el jefe cristero le ofrece mezcal, el vinagre de estos Cristos:

> No era distinta la muerte de Valentín a la del joven maestro a quien los cristeros arrancaron la lengua para hacerlo beber mezcal en seguida. Igual odio había en ambas partes, igual salvaje ímpetu de tortura.
>
> El sacerdote pensaba en ello, recordando los minutos anteriores al sacrificio del joven maestro. Guadalupe y Valentín —aquellos mismos a quienes Adán diera muerte— fueron a consultarlo. (I, p. 324).

[2] Saint John XIX: 34.
[3] Saint Matthew XXVI: 46; Saint Mark XV: 34.

El cura sabe que podía haber evitado la tragedia, y se siente sin fuerzas para contener la avalancha que él mismo ha provocado. De allí su consternación:

> He aquí que Valentín —un oscuro, fanático criminal— habíase convertido en mártir, y en mártir de la religión. Con riesgo de su vida, los habitantes del pueblo peregrinaban en secreto, hurtándose a los federales, hasta el cacto, hasta la monstruosa y verdadera cruz mexicana, para orar bajo los tres o cuatro brazos siniestros de la planta. (I, p. 325).

Al llegar al lugar del "sacrificio" el sacerdote encuentra a tres mujeres que vienen a ser la Madre Dolorosa, Marta y María Magdalena:

> ...como si se repitiera, en verdad, el pasaje evangélico. ¡Valentín, la víctima de la furia, un mártir, un cristo! Sintió infinita vergüenza y un deseo de llorar. Un cristo, Cristo Rey. (I, p. 325).

El maestro es la víctima sacrificada por los jefes de la rebelión cristera, Valentín y Guadalupe. Quienes, culpables de múltiples crímenes, se convierten en mártires por la crueldad de Adán. Este criminal es a su vez la víctima de la frustración del padre cura. La cadena se rompe con el propio suicidio del sacerdote.

Frente a la amenaza de los zopilotes, los pensamientos de Marcela se evaden hacia las impresiones de un periodista norteamericano sobre la ejecución de un condenado a morir en la silla eléctrica, en los Estados Unidos. Se establece una analogía entre la "cámara de la muerte" y la sacristía de la pobrísima iglesia del pueblo, igualmente desnuda:

> La "cámara de la muerte" podría pensarse negra, quizá oscura. Pero Marcela empeñábase, mejor, en que fuese gris, de ese gris carente de entusiasmo, débil y sordo, como en la sacristía, donde también en la más alta y principal de las sillas ejecutábase a cada minuto un ser misterioso, invisible y real, especie de cristo invisible, redimiendo su muerte, secretas culpas y pecados siniestros. ¿Qué redimía, no obstante, Adán? ¿Qué redimían ellos, Úrsulo, Calixto, Cecilia y ella misma, Marcela? ¿Qué redimía el criminal norteamericano? (I, p. 331).

Todas estas víctimas se identifican con una realidad común, la inutilidad de su muerte y su calidad de pseudocristos. No extraña observar que el microcosmos tome las proporciones de un gigantesco patíbulo:

> La "cámara de la muerte", gris, con opacos muros, y grande de pronto, erigíase hoy mismo en derredor. Sus murallas cubrían el cielo y la existencia. (I, pp. 332-33).

y que todos sean considerados como víctimas de un sacrificio ritual. En el caso de la justicia y la religión institucionalizadas, o la guerra sin justificación, reaparece la psicología del *pharmakos;* en cuanto que se establecen castigos y torturas, so pretexto de una justificación ética.[4]

Natividad, parangonado con el nazareno, es el *pharmakos* que debe morir resignado a su destino, por su noble causa. No es difícil observar la distinción entre Natividad —héroe mítico, verdadero Cristo— y los muchos ecos que se multiplican en la novela. De allí que las palabras de "la Borrada" adquieran un significado especial, la muerte de Natividad —"No es una muerte igual a las otras..."

Dentro del tono irónico de la novela cobra sentido que éste sea un mundo de parodia, de pseudohéroes y falsos cristos, de subhombres, y la necesidad de eliminarlos de la faz de la tierra.

En la primera novela del autor. *Los muros de agua,* la figura del *pharmakos* está centrada en Santos, uno de los cinco prisioneros políticos. La pureza de sus sentimientos, su mismo nombre, y la imagen de la subida, coadyuvan a cuajar el simbolismo de su estatura moral. "Después de un ascenso penoso..." llega a "la cúspide del Camino Viejo", rumbo a Salinas. Allí se tropieza inesperadamente con Rosario. En los pensamientos de su compañera se registran los cambios que Santos ha sufrido: "...él, tan noble, tan callado, de una tan unciosa humildad en el cumplimiento de las cosas. Tenía un no sé qué de cristiano, de santo, que causaba pena, como si se viese al Cristo vivo, acariciando las piedras y a los animales". Santos, condenado a la zona invadida por la plaga que está diezmando a los presos de la colonia penal, cae víctima de la epidemia.

---

[4] Neumann, *Depht Psychology,* pp. 57, 58.

Otros personajes también se distinguen bajo esta misma perspectiva. Tal es el caso de Rosario, víctima de la amargura y frustración de su "pavorosa" tía:

> Clotilde estaba en la imposibilidad... de comprender ya ninguna cosa alta, ningún sentimiento noble y puro. De ahí su empecinamiento en la venganza, en la tortura cruel y diaria, repetida, contra un ser que pudo haber sido su hija, pero que era el fruto de un amor enemigo y oscuro, persistente como una maldición. (I, p. 67).

O la condena de "El Miles" a Arroyo Hondo por desafiar a la autoridad y defender a Ernesto de los abusos físicos de los guardias del penal.

En *Los muros de agua* la protesta contra la punición institucionalizada se expresa en la revivificación de la figura del *pharmakos*. Este motivo es también evidente en algunos de sus cuentos —publicados al año siguiente a la aparición de *El luto humano*— en la colección *Dios en la tierra* (1944) y en su segunda colección *Dormir en tierra* (1960).

En tres de los cuentos de su primera colección, se destaca el *pharmakos* con abierta claridad. El primer cuento "Dios en la tierra", que da título al volumen, demuestra la crueldad bárbara de la revolución cristera (1926-1929). El profesor rural procura agua a los federales. Esta acción prueba la identificación del hombre con la tierra y la vegetación. La necesidad del agua, fuente vital, y el dios colérico y vengativo del antiguo Testamento que ha enloquecido al pueblo, impregnan el cuento de una calidad arcaica y bíblica. "Dios mismo estaba ahí apretando en su puño la vida, agarrando la tierra entre sus dedos gruesos, entre sus descomunales dedos de encina y de rabia". Dios padre, personificado en la masa cristera, reclama el sacrificio:

> Una masa nacida en la furia, horrorosamente falta de ojos, sin labios, sólo con un rostro inmutable, imperecedero, donde no había más que un golpe, un trueno, una palabra oscura, "Cristo Rey"... Una masa que de lejos parecía blanca, estaba ahí compacta, de cerca fea, brutal, porfiada como una maldición. "¡Cristo Rey!" Era otra vez Dios, cuyos brazos apretaban la tierra como dos tenazas de cólera. Dios vivo y enojado, iracundo, ciego como El mismo, como no puede ser más que Dios, que cuando baja tiene un solo ojo en mitad de la

frente, no para ver sino para arrojar rayos e incendiar, castigar, ver
cer... Aquí no había nadie ya, sino el castigo. La Ley Terrible qu
no perdona ni a la vigésima generación, ni a la centésima, ni al géner
humano. (II, pp. 371-72).

El profesor es golpeado, perseguido, acosado y finalmente empala
do, por el odio y la violencia sin límites. En él se vuelcan los ímpetu
de la masa enardecida. En él se concentran todos los males y crí
menes que los federales han infligido a los cristeros. El maestro rura
ente ajeno a los intereses de la masa cristera, es el instrumento d
su hostilidad brutal.

Hay una decidida correspondencia entre lo ocurrido al maestr
rural y la suerte que padecen el pastor protestante y su reducida fe
ligresía en "¿Cuánta será la oscuridad?", último cuento del volumen
Estos personajes, perseguidos y torturados por las hordas cristera
sufren el estupro de Abigail, violencia en el cadáver del pequeñ
Rito: "como si se reprodujera un sacrificio antiguo y profundo", l
flagelación de Néstora la niña-víctima, de Rosenda, su madre,
la vejación del viejo pastor. Este, al fin, completamente ciego, pro
nuncia las palabras de Jesucristo, "Todo estaba consumado".[5]

El personaje que mejor ilustra el motivo de la víctima sacrificad
es Cristóbal, el protagonista de "La acusación", cuento incluido en e
mismo volumen. El rechazo y la expulsión de Cristo de su sociedad,
la ejecución sancionada por el pueblo entero, no es más que la reac
tivación del motivo del *pharmakos*. Cristóbal asume el papel del chiv
expiatorio y tiene que ser sacrificado para fortalecer los lazos de l
colectividad, puesto que el *pharmakos* sólo es culpable en cuant
forma parte de una sociedad culpable, o porque vive en un mund
donde las injusticias son parte integral de la existencia cotidiana.

El acto de Cristóbal alcanza dimensiones prometeicas, "castigad
como un ángel... crucificado, tumefacto y llorando... Rojo y perdi
do, ciego como si hubiese visto una gran luz, como si hubiese intentad
robar un gran fuego". Madre Blasa lo lava en una forma ca

---

[5] En palabras de Neumann, "The fight against heretics, political oppo
nents and national enemies is actually the fight against our own religiou
doubts, the insecurity of our own political position, and the one-sidedne:
of our own national viewpoint" (*Depth Psychology*, p. 52).

[6] Frye, *Anatomy*, p. 41.

religiosa, "los grandes pies desnudos, las manos, las piernas, el rostro, y sacándole los aguijones de los párpados", le coloca un enorme ojo de vidrio en la ciega cuenca del ojo muerto, ojo que se mantenía siempre abierto y vigilante:

> Desde entonces —y hasta la muerte de Cristóbal—, todas las calamidades del pueblo, las sequías, las muertes, se atribuyeron a ese miserable ojo en perpetua vigilia, a ese ojo tan espantoso, tan intranquilizador, tan acusador, como aquél que persiguiera a Caín por los siglos de los siglos. (II, p. 468).

Cristóbal es temido y maldecido porque el ojo le ha dado una superioridad que lo eleva por encima de todos sus vecinos. "Lo odiaban a muerte, pero con terror, suponiéndolo una fuerza sin medida". Sus verdugos "...enemigos de Cristóbal —de Cristo, como le decían— experimentaban todo el miedo infinito de matar a ese hombre duro, a ese hombre cruel, invencible, en cuyo ojo derecho se concentraba el poder de Dios, del Dios malo y sordo que gobierna los misterios del mundo". Antes de llevar a cabo la ejecución sus asesinos lo invitan a tomar unas copas en la cantina. Todo se lleva a cabo "como en una ceremonia grave". Cristóbal comprende su destino y se somete sumisamente. Todo el pueblo los ve desfilar, complaciente "...debía ser muerto para paz y dicha de todos. 'Ya lo van a matar, gracias a Dios'". En una tarde de luz y sombras, Cristo muere apedreado.

Otros personajes engruesan las filas de las inumerables víctimas, tales como Eusebio, el hermano incestuoso de "La caída", y Martínez en "El abismo" —cuentos pertenecientes todavía al primer tomo, *Dios en la tierra*. En la segunda colección se destacan el maestro Mendizábal de "La palabra sagrada" y Cristóbal, protagonista de "El quebranto". En "La hermana enemiga", la hermanastra tortura con saña a su media hermana en el rito de una misa negra: "iba a ofrendar su sacrificio... despacio, ciega, sin sentidos, con muda y frenética ansiedad, había reunido todas sus débiles fuerzas para este minuto de la Elevación del Cáliz. Era una elevación del Cáliz, on algo menos terrible. Un ofertorio negro". Al aceptar la niña su papel de víctima, sin ofrecer resistencia, la hermanastra comprende: "que en ese instante se le arrebataba una potestad, que su sacerdocio perdía la imperceptible piedra en la cual apoyara uno de sus ritos y que en adelante esa piedra de sacrificio, ese pretexto del miedo al dolor, ya no podrían ser usados para golpear a la muchacha". El falso testimonio y la culpa que el sacerdote y la hermanastra fabrican para la joven es significativa, puesto que la sociedad siempre está a la caza de un *pharmakos* y a menudo el crimen que se le imputa es de carácter sexual. Las torturas se reanudan —"Nuevamente el rito y su recuperación. La vida y los sufrimientos de todos aquellos que no los ofrecen por sí mismos"— hasta provocar el suicidio de la adolescente. El sacrificio es necesario para expiar los crímenes y pecados del propio círculo familiar.

Gregorio Saldívar, protagonista de *Los días terrenales* converge también —como ya se ha discutido en el segundo capítulo— en este motivo. Ya que es Bautista —personaje secundario— un desdoblamiento de Gregorio, comparte con él algunos de los rasgos e ideas del héroe. En la "marcha del hambre", Bautista es herido por los gendarmes. Gregorio lo evoca "...bañado de una hermosa sangre reluciente a causa de un golpe de sable que recibió. Una sangre pura, una llamarada, igual que en un santo...", víctima, como él mismo, de la locura de la masa inflamada. En este pasaje se ofrece la descripción más pujante de la visión revueltiana de la psicología del *pharmakos*. Este ritual es en extremo peligroso para la salud de la sociedad y particularmente para la integración psicológica del individuo como tal, quien en ocasiones se somete a estos excesos en busca del reconocimiento y la aceptación del grupo a que pertenece.

El personaje central de *Los motivos de Caín*, Jack Mendoza, pertenece también a la categoría de *pharmakos*. Su marginación de la sociedad en su calidad de desertor de la guerra coreo-norteamericana, su indecisión y cobardía hacen de él un ser moralmente inferior. Jack-Caín es sin duda una víctima de su sociedad como se evidencia en el incidente de los elotes con la niña-adulta y de la autoridad organizada de la policía militar.

En Jacobo Ponce, ser ficcional de *Los errores*, se señala la tendencia latente en todos los mortales de crear un chivo expiatorio:

> Los demás tenían necesidad de un enemigo, de un culpable sobre el que pudieran descargar su odio; pero tomado el hilo de Ariadna en las manos, el minotauro dejaba de existir en el mismo momento.

No había un minotauro individual y privado. Todos eran el minotauro. Jacobo también. (II, p. 154).

En la misma novela, Olegario Chávez reflexiona sobre "la polí-
ica secreta" que existe dentro del mismo Partido. Por un lado aquellos que estaban dispuestos a:

> la entrega total, capaz incluso del grado más inverosímil de sacrificio,
> a una causa..., sí era el caso de Olegario y El Linotipista juntos; y
> entonces también el de Eladio, Eusebio Cano, Jacobo... siempre se
> recolectaba... una buena cosecha de víctimas... y de la otra parte,
> oportunistas y arribistas y poetas y compañeros de ruta y burócratas
> y clérigos y paranoicos y gendarmes del espíritu, endiosados y triun-
> fantes todos en la cúspide de la pirámide construida con los cráneos
> de los verdaderos comunistas del mundo. (II, p. 320).

Por la disparidad de los personajes agrupados bajo el motivo del
pharmakos, cabe preguntarse qué denominador común los identifica.
La única característica visible que los distingue a todos es que son
diferentes al grupo, ya sea inferiores étnicamente, o pertenecientes a
grupos minoritarios: raciales, religiosos o ideológicos; o por el con-
rario seres considerados superiores que descuellan entre la comunidad
a que pertenecen. El individuo que por cualquiera de las causas apun-
tadas sobresale, representa un orden ajeno, y es una amenaza de peligro para la seguridad personal o del grupo. Revueltas recurre a la
continua presencia del motivo del *pharmakos* para denunciar el aspecto agresivo del hombre. Aspecto desfavorable de la conducta humana.

Estos actos inhumanos perpetrados individualmente o por grupos
organizados o naciones, provocan un dilema ético que debe ser asumido con plena conciencia moral. Se invita al individuo mismo a
la introspección y al raciocinio del porqué de tales gestos y hechos
primarios en pleno siglo XX. La guerra es una de las situaciones que
ofrece ilimitadas oportunidades para efectuar el fenómeno del *pharmakos.* Terreno en el que el autor explora y extrae muchas de sus
figuras patéticas.[7]

7 Jacob Bronowski, *The Face of Violence* (New York: Braziller, 1955),
pp. 56-57. Neumann opina al respecto:

Caín

Caín es el símbolo mítico de la envidia humana, y la hostilidad fraternal. En una palabra es el epítome de los sentimientos violentos y agresivos del hombre. A pesar de esto Caín no es del todo negativo, si hay crimen y culpa, también hay expiación. La ambivalencia está presente, el autor del crimen primordial se torna entonces en un paria, perseguido por la ira y la maldición paternas. Caín es una figura arquetípica que compendia también la alienación y la soledad del ser humano.[8]

Ambos aspectos interesan al autor: tanto el instinto sanguinario, y destructor, como la capacidad para el sufrimiento y el desamparo. En *El luto humano*, Revueltas insiste en el aspecto cainita de Adán (el "inexorable Caín") y en los múltiples crímenes que comete contra sus propios hijos. Con el asesinato de Natividad-Abel, Adán consciente de su pasado "empezaría a pagar sus culpas... perseguido sin descanso, por los siglos de los siglos, como Caín".

En el odio y el crimen colectivo de Cristóbal, en "La acusación", todo el pueblo se conjura contra su pseudopoder sobre vida y muerte. Cristóbal poseedor del "intranquilizador" ojo, es, en la perspectiva de estos caínes, la conciencia siempre presente de sus crímenes.

El sufrimiento que acosa a la humanidad empieza con la caída de los primeros padres y el primer crimen:

> El paraíso perdido y Caín asesinando a Abel, mientras el mundo se sumía en las tinieblas y los ríos se formaban de todas las lágrimas haciendo el mar amargo, cubierto de sollozos. (I, p. 242).

> ... that basic phenomenon of the scapegoat psychology... also plays a decisive part in the international disputes between collectives which are known as wars.
> No war can be waged unless the enemy can be converted into the carrier of a shadow proyection; and the lust and joy of warlike conflict, without which no human being can be induced actually to fight in a war, is derived from the satisfaction of the unconscious shadow side. (*Depith Psychology*, pp. 57-58).

Explicación que encuentra acogida, en lo dicho por Revueltas con particular vigor sobre la Revolución Mexicana en *El luto humano* (ver Capítulo III, p. 69).

[8] Edinger, *Ego and Archetype*, pp. 43-44.

Este motivo se convierte en fuerza motriz de *Los motivos de Caín,*
de allí el epígrafe del Génesis, versículos 10-14, que precede a la
narración. Jack siente:

> La turbia conciencia de ser un Caín que ha perdido la memoria,
> pero que sabe con certeza absoluta que él es el asesino de su hermano
> aunque ignore cuándo, cómo, dónde, en qué remota edad, o si en este
> mismo instante, fue cuando cometió el crimen. (II, p. 27).

Su participación en una guerra vergonzosa lo hace colaborador
del crimen sancionado en gran escala. Tanto la anonimidad del suce-
so, como la pérdida de la identidad de los combatientes, tiende hacia
la disolución del libre albedrío y del individuo; la responsabilidad
no existe:

> Claro, están los heridos, los muertos, y ese ruido alucinante, único,
> ese bramar de monstruos que sólo la guerra puede producir. Pero
> aún no hay nada, aún no se siente nadie culpable como nadie se sen-
> tiría culpable de un terremoto o de un eclipse... Aquí y allá..., están
> los muertos: muertos no por mano del hombre ni de su "preparación
> artillera", sino víctimas de un cataclismo anónimo y sin culpa. (II,
> pp. 39-40).

Jack, habitante de las regiones infernales, se atreve a regresar en
calidad de fugitivo:

> ...[con su] disfraz de ser humano... "bajo el cual sería descu-
> bierto en el momento menos pensado, para que todos se lanzaran tras
> de él, iracundos y justicieros, las voces roncas y los rostros hermosa-
> mente descompuestos por el soplo vindicativo, en un *pogrom* sagrado
> contra el intruso que osaba reintegrarse al reino. (II, p. 22).

Como Caín, Jack es el representante de los perseguidos del mundo; de las minorías: los negros, los chicanos, los judíos.[9] Así lo
manifiesta en un diálogo con Bob Mascorro. Jack se queja de que
ellos viven la "sensación judía":

[9] Cabe aquí mencionar al *outsider,* término que emplea Marilyn Frankenthaler para designar al ser marginado, rechazado por el grupo al que
pertenece, personajes como Jack Mendoza, muchas de las figuras femeninas
revueltianas, y los mexicanos y negros de su obra teatral *Israel* que son
víctimas del prejuicio racial.

> ... es una manera de llamarla a causa de que los judíos han sido siempre los perseguidos del mundo, los perseguidos absolutos, y es sólo cuestión de ponerse en su lugar (o de que nos pongan) para que la experimentemos del modo más claro y lúcido, hasta las entrañas. En ese sentido tú, yo, Marjorie, somos judíos. Los negros son judíos. El ser judío no es pertenecer a una raza o a una religión, sino el haber sufrido en la propia persona la acción, el odio, la tortura, el desprecio del hombre zoológico, en la propia persona o en el grupo a que se pertenece. (II, p. 34-35).

A través del motivo de Caín, Revueltas introduce su impugnación de la guerra y sus consecuencias desastrosas: el peligro de vivir en un mundo ensombrecido por la aniquilación total. También inculpa la herencia sangrienta de odio y venganza prohijada por la Revolución y la guerra cristera mexicanas. Denuncia con energía, asimismo, las persecusiones contra los habitantes de los barrios y *ghettos* por parte de las autoridades sajonas en los Estados Unidos, y la de los judíos de todo el mundo. Lanza un verdadero toque de atención a todas las conciencias dormidas, incitándolas a una mayor responsabilidad frente a estos problemas comunes que aquejan a los hombres de todas las latitudes.

El descenso a los infiernos

Esta situación que en los capítulos II y III ha sido estudiada como unidad mítica estructurante, se plasma en ocasiones bajo la forma de motivo, o sea, cobra un carácter autónomo; como motivo independiente reaparece en varias de sus novelas y cuentos.

La caída o descenso, caracteriza sin lugar a dudas una situación infausta, de muerte temporal. Sus atributos son confinamiento, oscuridad, opresión, dolor y aislamiento. Rosario la única mujer de los cinco personajes comunistas de *Los muros de agua,* enclaustrada en el vagón tenebroso del tren que los conduce al presidio, otorga a este espacio la dimensión de un universo infinito, oscuro y ciego. Las sensaciones olfativas la llevan, por asociación de ideas ,a su vida anterior en calidad de recluta en una experiencia análoga. Sometida a castigos humillantes:

azotes con una vara de membrillo, baños de agua fría, y particularmente... el "cuarto de las monjas", la cárcel familiar, donde la colé-
rica tía le daba encierro... Ahí, donde el olor era de agua sucia, de
agua vieja, y donde las tinieblas estaban pobladas de seres antiguos,
de diablejos, de mujeres enloquecidas y de respiraciones frías. (I, p. 39).

En una simbiosis de carácter emocional el vagón y el "cuarto de
las monjas" son el mismo sitio sombrío, doloroso, porque coinciden
en una imagen común: la pérdida de la libertad, y por ende aflicción.
Desfila ante sus ojos su "vida absurda, llena de desgracias" para
desembocar en su condición actual, condenada con sus compañeros,
al penal de las Islas Marías, por sus ideas políticas.

Cuatro de los prisioneros, a los que más tarde se unirá Rosario,
son asignados al paraje más temido, cuyos rasgos son verdaderamente
infernales. El sol calcina con su "fuego" lo que toca. Arroyo Hondo
es el sitio "más insalubre y el más lejano... especie de ergástula, de
séptimo infierno a donde pagaban sus culpas los rebeldes". Como
su nombre lo indica, el arroyo se halla enclavado en una hendidura
entre los cerros; en su ribera se levanta una higuera imponente. De
ella cuelga la soga en la que se tortura a todos aquellos que no se
someten a las reglas impuestas por el déspota del lugar, el cabo
Maciel. El árbol de la higuera de los evangelios, en la Biblia, es
también el árbol de la muerte y de la esterilidad.[10]

Los cuatro presos vienen especialmente "recomendados" para ejecutar las tareas más duras y Maciel les ordena inmediatamente cavar
un pozo tras la penosa caminata. Tarea de Sísifo, pues deben llenarlo
y comenzar de nuevo. Inmersos en la brecha hasta la cintura, su
descenso en las entrañas de la tierra es también físico. El bosque
donde laboran es tan hermético que no puede distinguirse el cielo
y la luz en apenas discernible. Prudencio desesperado exclama que
éste "Es el infierno!" y Ernesto reconviene que en verdad "era el
infierno". La descripción de la fauna y flora malignas, de los trabajos y tormentos brutales que se aplican a los presidiarios, el frustrado suicidio de Prudencio y su subsecuente locura etc., hacen que
Arroyo Hondo emerja como un verdadero mundo demoníaco. Las
torturas son comunes en este mundo infernal.[11]

---

[10] Frye, *Anatomy*, p. 149.
[11] Ibid.

Se colige que el motivo discutido, en *Los muros de agua*, está en convivencia con el cautiverio inhumano y degradante que padecen los personajes, lo cual es corroborado por Cirlot, quien observa que la idea de infierno viene a resumir el concepto de crimen y castigo.[12]

En ocasiones, el descenso a los infiernos se verifica como una aventura nocturna debido a su asociación con la lobreguez que ésta generalmente presupone. Este es el caso de la experiencia de Bautista y Roseando los trabajadores comunistas encargados de pegar los carteles de propaganda en La Curva, en *Los días terrenales*. Los capítulos III y VI de la novela son segmentos fragmentados de la misma secuencia en la cual se presenta un submundo de rasgos negativos. Desperdicios, miseria, miasmas, deyecciones humanas, mundo real de los barrios proletarios pero que a la vez coincide con una transformación sobrenatural de la realidad. La ciudad en estas condiciones pierde sus dimensiones de objeto real y adquiere una calidad mágica "dentro del espeso líquido sin luz de la madrugada su existencia misma se había vuelto dudosa, vaga, apenas la existencia de una ciudad submarina bajo las tinieblas". Como se ha establecido anteriormente el motivo de la caída o descenso se vincula con el vientre materno. El paralelismo con las entrañas maternales es también explícito en el siguiente pasaje:

> ... en torno de sus cuerpos, unida a la piel como la malla de un bailarín, los rodeaba la negra ciudad sin límites... víctimas de una indefinida turbación orgánica, fisiológica, cual si la oscuridad fuese un tejido hostil, una suerte de protoplasma adverso que rodeaba al espíritu sin permitirle nacer, sin dejarlo romper una placenta enemiga y sorda, a la manera como sucede en el recuerdo... desde el vientre materno... (I, p. 378).

La ciudad en su papel de *mater larum* los contiene en su seno profundo y oscuro.[13] En esta penetrante negrura Rosendo y Bautista se encuentran "suspendidos en la noche, más bien igual que dos ahorcados pendientes sobre un abismo...". Este episodio de muerte

---

12 *A Dictionary*, p. 159.
13 Jung, *Symbols of Transformation*, p. 208; Neumann, *The Great Mother*, p. 283.

transitoria, es la vía por la que Bautista puede penetrar y mirar hacia adentro de sí mismo. De esta manera puede confrontar la amarga realidad, las flaquezas de Fidel, la pérdida de Rebeca y discurrir sobre el problema de la condición humana. La experiencia nocturna en su momento crítico se torna en una vivencia angustiosa causada por una presencia "sobrenatural" que deja a Bautista "hechizado":

> Era, sin duda, un cuerpo activo y a la vez sangriento: se movía apresurado, con terror y rabia, igual que un sordomudo cruel que quisiera consumar a solas algo monstruoso y bajo. (I, p. 452).

La presencia insistente del excremento, es el símbolo de su desilusión de las cosas más queridas y que en este momento se ve forzado a no aceptar más. Su comprensión del mecanismo humano que conduce a la psicología del *pharmakos* y que lo lleva a concluir "Defecto [sic], luego existo". Así el motivo del descenso a los infiernos, comunica en última instancia la visión de un mundo en que los principios étnicos humanos, están basados en el "Imperio del excremento Amado". El motivo realiza su función de llevar al personaje a un ahondamiento espiritual, a una superación de su visión y a murmurar finalmente:

> ...la vida es algo muy lleno de confusiones, algo repugnante y miserable en multitud de aspectos, pero hay que tener el valor de vivirla como si fuera todo lo contrario. (I, p. 453).

El motivo a la vez sirve para contrastar a dos miembros del mismo Partido; el conformista Rosendo, que acepta y admira la inflexibilidad dogmática en la apócrifa lealtad de Fidel. El otro, Bautista, que cuestiona, elucida y confirma la deshumanización e ilegitimidad de los líderes y la fragilidad del ser humano.

De una manera muy similar Jack Mendoza en *Los motivos de Caín* transita por varias secuencias del mismo motivo. El personaje atraviesa por una situación que exhibe las características de un descenso a las regiones infernales; terror, confusión, trasposición de la realidad inmediata, muerte pasajera, liberación. La tormenta que se descarga con saña tiene alcances universales, cósmicos, aunque se ubique específicamente en el barrio chicano de El Hoyo, en Los Ángeles. Reinan un silencio opresivo y una total negrura, especie de muerte:

> O tal vez no fuese sino la oscuridad, una mortaja que se ajustaba al cuerpo del mismo modo que las vendas en las momias de los faraones egipcios, ciñendo las piernas, el torso, los brazos, a la medida y sin escape, una piel negra y hermética. (II, p. 26).

Esta descripción es análoga a la previamente citada en el ejemplo de Bautista. En ambas, los personajes están ceñidos y envueltos por una piel, función, que en el caso de Olegario —discutido más adelante— lo desempeña el caño mismo, membrana amniótica, que los protege de la amenaza exterior. El mundo es totalmente siniestro, la sensación de una presencia hostil se cierne en torno a Jack:

> Algo debió haber ocurrido, quién sabe qué cosa abominable y desgraciada, que impregnaba de miedo las tinieblas en un desquiciado sucederse de alguna hora nona sacrílega en la que Dios, enloquecido, en lugar de recibir en su seno al Hijo del Hombre, resucitaba a los malos y los esparcía por el haz de la tierra perseguida y maldita. (II, p. 27).

La escena sin trasponer el plano realista, pretende crear una atmósfera sobrenatural. La aparición del pastor negro. Lutero Smith; la luz roja saltando de un sitio a otro, semejante al "redondo ojo omnividente de pequeño cíclope"; la voz pavorosa, vaticinando el exterminio final. La visión sobrecogedora del pastor con:

> ... los brazos en alto proyectando su figura sobre los fanales como un gigante crucificado, como una gran cruz humana en la hoguera, que ardiese por las extremidades, un espantapájaros de la Misericordia Divina y la Expiación. (II, p. 29).

Aquí el motivo tiene como propósito denunciar la situación de los chicanos, humillados, discriminados, perseguidos por el racismo de las autoridades norteamericanas y contribuye a caracterizar al protagonista Jack Mendoza. La escena culmina en el encuentro de Jack y los Mascorro, pareja honesta, vitalmente comprometida a una causa, vis-à-vis Jack Mendoza, para quien "era imposible tener partido —su partido era el de no adoptar ninguno—".

El incidente de la tortura y muerte del norcoreano comunista Kim, es el segundo momento del motivo de la caída o descenso. Se sitúa en un refugio contra bombardeos, es decir en las entrañas de la tierra, una " 'cueva de zorra', un recinto subterráneo, estrecho y hermético". La analogía con la tumba es obvia y la ratifica el narrador: "desde este instante, desde ahora mismo [el norcoreano] estaba muerto, era ya un viviente cadáver de anfiteatro". Simultáneamente Jack vive la misma experiencia, al ser obligado a presenciar el acto, para servir de intérprete. La escena adquiere una calidad fantasmal, es:

fabulosamente sobrecogedor y desquiciado, como si estuviera en un mundo excéntrico, de lunáticos. (II, p. 69).

Jack percibe el refugio, convertido en prisión y cuarto de tortura, como la materialización del verdadero infierno:

Esto no podía ser real, no. O más bien, era el infierno real, tal como es, sin llamas, sin plomo derretido, sin demonios, únicamente habitado por hombres, por hombres. (II, p. 73).

La figura de autoridad en este mundo subterráneo es una criatura *ctónica,* la doctora Jéssica, experta en el arte del suplicio. Ente hermafrodita, emasculadora, Madre Terrible:

...una especie de coloso de Rodas femenino y también hombruno; en todo caso una materia orgánica no definida, hasta con pensamientos, pero que no pertenecía a la especie: el eslabón inesperado hacia otra especie qu ya había comnzado a poblar la tierra y que amenazaba seguirla poblando, con Jéssica como su arquetipo, como su futura reina de la belleza; un ser que se encontraba en todos los cuerpos de policía, en todos los campos de concentración, entre el personal de todas las cárceles de la tierra... (II, p. 77).

Reiteración de la simbiosis de los motivos infierno-cárcel, que ratifica las estrechas relaciones internas existentes entre ambos.

Jack se da cuenta que esta situación entraña el paso final de su desintegración moral. A la luz de esta interpretación logra validez que el hecho le produzca:

la sensación de una caída, de que se hundía, de que iba descendiendo verticalmente, sin ningún apoyo bajo los pies, como dentro de un espacio sin límites. (II, p. 66).

Su postrera claudicación a la sexualidad devoradora de esta Hécate, concomitante con la aceptación de su propia deshumanización, es su muerte espiritual, su caída. El motivo muerte-renacimiento se hace también manifiesto, de aquí el aspecto tumba-vientre del recinto.

El autor en su Nota previa —en el preámbulo de la novela— instruye que cuando conoció a Jack "Acababa de salir del infierno y, sin embargo, aun no podía salir". Aludiendo por un lado a su huída de Corea y por otro a su condición de hombre sin libertad, desertor y prisionero de su propio conflicto.

En la subsiguiente fase del motivo, Tijuana se plasma como un renovado infierno, se reproducen los ya consabidos rasgos, y una nueva capacidad, la de laberinto. La ciudad aparece en su carácter maternal, como madre prostituída, su carácter babilónico es descrito con vívidos tintes.[14] A despecho de la luz solar la realidad es psicológicamente oscura; en la perspectiva de Jack, es aterradora, se siente como neófito en una sociedad secreta en la que, sin haber sido iniciado, ha entrado, sin "decir el santo y seña que le habrían permitido colarse hasta el interior de este *sancta-sanctórum infernal...* tenía la frente bañada en sudor y sus piernas temblaban" . Su miedo proviene del peligro de caer en poder de la "Military Police". Los colores, anuncios, marquesinas, lo acorralan, se encuentra "dentro de un mundo absolutamente espantoso", como en una "ratonera". El carácter pavoroso irradia de cada transeúnte, en quienes ve, espías y policías en su búsqueda. Su pretendido renacimiento —la evasión— no lo ha conducido a la ansiada liberación:

Si había desertado, si había escapado era para volver al mundo, para vivir de nuevo, para reincorporarse a la vida de los hombres... Jack amaba la vida, quería vivirla nuevamente, impregnarse de ella otra vez... (II, pp. 12-13).

[14] "This mother, then, is not only the mother of all abominations, but the receptable of all that is wicked and unclean... Thus the mother becomes the underworld, the City of the Damned" (Jung, *Symbols of Transformation,* p. 215).

La realidad es incongrua y caótica, "la Calle Mayor de Tijuana era un canal maloliente, viscoso, ...y el éxodo continuo de una multitud que no se dirigía a ninguna parte...", soldados embriagados, vendedores ambulantes, prostitutas ajadas, banqueros concupiscentes. Esta multitud hormigueante es una expresión dinámica de la invasión violenta del inconsciente hacia la zona consciente.[15] En este conglomerado irracional Jack busca "una salida", la experiencia de esta supuesta muerte lo torna hacia la introspección:

> ¿No sería, pensó Jack, muy en serio, que estaba realmente muerto sin darse cuenta, y que la muerte no era sino este espantoso tratar de vivir, creyéndose vivo?... ¿lo habría matado [el guarda] con ese tiro y Jack creyó que no, y fue desde entonces cuando comenzara a soñar este sueño de la muerte, tan parecido a la vida... y... este cuerpo ileso, no era sino un cuerpo ajeno, un disfraz? (II, p. 22).

Hay en esta muerte presentida, en esta supuesta pérdida de la identidad, el comienzo de una conciencia salvadora, el deseo de renacer a una nueva forma de vida. El motivo sirve para ir revelando situaciones de crisis en la vida de un individuo degradado que, a la postre, encontrará la redención en una etapa ulterior, según los indicios que se traslucen en las palabras finales del autor.

Hay empeño personal en deponer un testimonio denodado contra la guerra como sistema y contra la política equivocada de los Estados Unidos "ese 'hogar de los libres y los bravos', [que] ofrecía la sangre de sus hijos para salvar al mundo democrático".

El motivo es también discernible en uno de los sucesos acaecidos a Olegario Chávez, protagonista de *Los errores*. La experiencia de Olegario, al fugarse de la cárcel de Belén, a través de las cañerías del drenaje, no es sino una reincidencia del motivo del descenso. Su fusión con el motivo de la cárcel nos indica que esta experiencia ha dejado una marca indeleble en el autor que se transfiere a sus criaturas. Olegario descubre varias baldosas, entrada al "infierno", defendidas por unas rejas en cruz. El caño mismo, de escaso diámetro, es como un vientre en el que el cuerpo apenas se desliza. La aventura está presidida por el concepto ternario. Olegario, como el héroe mítico, tiene que superar tres obstáculos, tres rejas que median entre

---

15 Ibid, p. 207.

él y su libertad y cuyos barrotes debe serrar. El carácter triádico se repite. Olegario pasa tres días —equivalente a la jornada de la noche en el mar, cuyo estereotipo es la estancia de Cristo, por tres días, en el infierno.[16]

En la visión de Olegario la cloaca es:

> ...una blanca bahía... un puerto donde se había declarado la peste, sucio hasta la locura, donde todos los habitantes estaban, muertos dentro de sus casas y hedían, transmitían a la atmósfera un aire orgánico nuevo, de gases descompuestos por la materia podrida. (II, pp. 178-79).

Las "aguas de un mar prisionero y sosegado", son las aguas estancadas del claustro maternal de la tierra vinculadas a la vida y a la muerte o sea al motivo morir-renacer. La experiencia es una verdadera pesadilla preñada de pánico, dolor, ansiedad. Contribuye a infundir una nota espeluznante su encarnizada lucha contra las ratas, animal propio de estas regiones, una de las imágenes arquetípicas negativas del principio femenino.[17] La pormenorización del ataque se prolonga por cuatro páginas. Olegario está a punto de ceder a la tentación "de abandonarse a la muerte", convulsionado por su condición ignominiosa de ser disputado por las alimañas. Ese es el riesgo inherente al descenso —el momento de duda, la atracción de no-ser es demasiado tentadora. Si el aliento de salir del mundo *ctónico* es mantenido el viaje es una renovación:

> El dolor se había vuelto casi abstracto, un abismo autónomo donde alguien caía sin solución de continuidad, sin fin, pero alguien que era él mismo, hasta el vértigo... Sin embargo, luché; pude llegar hasta la tercera reja y salir. (II, pp. 181 y 182).

Para Olegario esta es una experiencia inquietante, inolvidable, su salida a la calle, su reincorporación al Partido, la restitución de su libertad, son las formas en las que se realiza su renacimiento.

Algunos de los cuentos, como sugieren sus títulos: "El quebranto", "La caída", tienen su epicentro en esta situación. Eusebio, figura

---

[16] *Ibid*, p. 331.
[17] Neumann, *The Great Mother*, p. 177.

ntral de "La caída" vive en un "pequeño infierno terrestre". En-
rrado en su habitación —situada por debajo del nivel de la calle—
scucha "las pisadas de los transeúntes... como si al oírlas uno
usmo estuviese debajo, como en una fosa ignorada, y las gentes
ivas, atroces, en el cielo" . Ahogado en la bebida, los tres días de
elirio en su "pequeña tumba", su propio cuerpo "la fosa sin me-
ida", son su muerte simbólica. Eusebio no puede resistir la atrac-
ón del descenso, de su caída final, Carl Jung explica esta situación:

> Whenever some great work is to be accomplished, before which
> a man recoils, doubtful of his strength, his libido streams back to the
> fountainhead —and that is the dangerous moment when the issue hangs
> between annihilation and new life. For if the libido gets stuck in the
> wonderland of the inner world, then for the upper world man is
> nothing but a shadow, he is already moribund or at least seriously
> ill.[18]

El olvido y la muerte definitiva, la desintegración psicológica, son
eferibles al incesto y a la pérdida de Gabriela.

Otro magnífico ejemplo de la deshumanización del individuo
aracterizado por el motivo del descenso reaparece en su cuento
Resurrección sin vida". La anécdota gira alrededor de las vivencias
fernales y degradadas de Antelmo Suárez, quien resucita "no a la
da sino a la muerte".

La guerra, como la cárcel, es otra experiencia en los abismos del
fierno a la que se ve confrontado el hombre. Esta situación se
lantea en "Los hombres en el pantano" en el episodio de la guerra
itre Japón y los Estados Unidos. Los chicanos metidos en las aguas
antanosas por tres días, en la espesura de la vegetación, pasan por
ta experiencia. Joe Martínez goza y sufre la muerte de su com-
añero el negro Smith-Johnny.

Revueltas utiliza el motivo del descenso o caída en su plasmación
el motivo del cautiverio físico o psicológico y va asociado al motivo
orir-renacer. El motivo lleva un vigoroso mensaje de su repudio
: las instituciones destinadas a coartar la libertad del individuo, ya
a cárcel, reformatorio, guerra o cualquier modo de vida u orga-
zación que la restrinja.

[18] *Symbols of Transformation,* pp. 292-93.

Oscuridad, luz, ceguera y el ojo

Estos motivos concurren con frecuencia, y son fundamentales en la obra revueltiana. Existe una relación conceptual muy estrecha entre la oscuridad, la noche, la ceguera y el inconsciente en oposición a la luz, la visión y la conciencia.[19] El principio de la vida y de la conciencia está caracterizado por la transición de la oscuridad hacia la luz. En el mito de la creación del mundo, el *Fiat lux,* es interpretado psicoanalíticamente como la creación de la conciencia, en contraste con la oscuridad o el inconsciente. Este mito constituye la base de la cosmogonía, de muchos pueblos.[20] Erich Neumann lo interpreta de la siguiente manera:

> Heaven is the dwelling place of gods and genii, symbolizing the world of light and consciousness as contrasted with the earthly, body-bound of the unconscious. *Seeing* and *knowing* are the distinctive functions of consciousness, light and sun the transpersonal heavenly factors that are its higher condition, and eye and head the physical organs that are correlated with conscious discrimination. Hence in the psychology of symbols the spiritual soul descends from heaven and in the psychic body scheme is apportioned to the head, just as *the loss of this soul is mythologically represented as a blinding*... It entails dissolution of the higher masculinity in its lower phallic form and therefore loss of consciousness, of the light of knowledge, of the eye, and a relapse into the body-bound *chthonic* world of *animality.*[21]

Como evidencia de la presencia continua de estos motivos se citan algunos ejemplos entresacados de las novelas y cuentos. La "jornada de espanto", fusión de los motivos viaje-aventura nocturnal-laberinto-infierno, que inicia *Los muros de agua,* transcurre en una oscuridad profunda. Las siguientes imágenes son dinámicas:

> El reloj amarillo de la torre, los árboles, aparecieron como un rompecabezas, como un haz de tarjetas desarticuladas, y luego todo quedó oscuro, impenetrable y silencioso dentro del carro, cuya puerta sonó con ruido de cadenas. (I, p. 29).

19 Neumann, *The Great Mother,* p. 65.
20 *The Origins,* p. 6.
21 Ibid, p. 311 (subrayados nuestros).

Las alusiones son profusas y reforzadas de continuo. El sargento encargado de la custodia de los prisioneros, cruel y abusivo, es "del tamaño de las tinieblas". El motivo, acompañado de imágenes alteradas y violentas, desconsoladoras, crea un clima de sobresalto y temor:

> El paisaje era de tinieblas que se superponían unas sobre otras, como escalones a cuyo pie estallaba, de sangre amarilla, un farol. Y en torno del farol... una caravana harapienta, sucia, como si las tinieblas fuesen, en realidad, de pasta negra, y los hombres se encontraran cubiertos por materias oscuramente impermeables y sombrías. Alrededor de las caravanas, las tinieblas, como un océano, eran capaces de movimiento, y en el fondo de ellas, como en una bodega de cadáveres, había rostros, centenares, miles de rostros femeninos que gemían, que estaban ahí, en un ritual extraño donde el dolor era primitivo e imponente. (I, p. 33).

El contenido arquetípico del trozo es claro. Siendo las tinieblas igualadas a un océano, poblado de numerosos seres femeninos, la proyección materna es patente. Se sabe que hay correspondencia entre noche-oscuridad-insconsciente y el arquetipo femenino.[22] El camino del inconsciente (las tinieblas) conduce a la claridad como el proceso embrionario lleva del útero a la luz del día. La asociación se corrobora puesto que la cautividad es una función del arquetipo.[23] Estas imágenes se concretan aún más cuando los vagones del ferrocarril se designan como "carros-caja", su carácter funerario y materno ha sido ya indicado antes en la discusión del motivo del descenso a los infiernos.

La noche como cómplice del sufrimiento es renovada: "el cielo negro, apenas distinto a las tinieblas de ahí dentro". Rosario en el tenebroso vagón divaga:

> ¡Si la noche, siquiera, tuviera menos intensidad y menos fondos...!
> Porque noches de una naturaleza así, tan profundas, tan sin estrellas, son abismo para el dolor y para que ocurran las cosas irreparables. Cosas irreparables: cosas que no pueden ya salvarse jamás. (I, p. 46).

---

[22] Jung, *Symbols of Transformation,* p. 219; Neumann, *The Origins,* p. 340.
[23] Neumann, *The Great Mother,* p. 65.

El anhelo de claridad, complemento antitético y cíclico, está presente con el matiz esperado, esperanza, paliativo del dolor moral:

> Los prisioneros del carro, ante esto, aguardaron, quién sabe por qué, a que una luz, una luminosidad se insinuase por la clarabova aclarando los enigmas y disipando la angustia. Era preciso. Era preciso que sobre los corazones quebrados por la desolación, por el desprecio, cayese la luz, se abriese una bahía de transparencia donde los ojos pudieran cerrarse con tranquilidad, esperanzados en algo nuevo y lejos de las sombras. (I, p. 33).

Con la aparición reiterada del motivo de la oscuridad, el lector se compenetra con la intensidad de los sentimientos de pesadumbre y desaliento que la privación de la autonomía y la premonición de futuros infortunios, causan en los personajes. Ante la amenaza lacerante de la prisión a largo plazo, el mundo novelístico se sumerge en las tinieblas.

El motivo es obsesivo y acompaña aquellas situaciones en que la inopia moral o la zozobra se abate sobre sus criaturas. En el cuento "Noche de Epifanía", Londres asolada por los bombardeos de la guerra ofrece el espectáculo de sus: "...ciegas, negras calles de ciudad perseguida, resumideros de oscuridad pavorosa", "...la ciudad y el planeta mismo estaban poseídos por las tinieblas". Rebeca apuñalada por su marido yace en la morgue; dentro de los horrores de la guerra, el asesinato de un individuo rescata, irónicamente, el valor del ser humano como tal. Por otra parte la Chunca, prostituta bestializada de "Dormir en tierra", frente al llanto de su hijo siente que "Una negra ola de soledad le abrasó el corazón con su lumbre inmisericorde". La vulnerabilidad de su hijo a su propia desgracia y la urgencia de rescatarlo se le hace apremiante.

El principio antitético es dolorosamente descrito en el primer párrafo de "El quebranto", y viene a ser símbolo de la forma degradada de vida que con terror descubre Cristóbal:

> En algún tiempo la luz se dejó caer, rodando, sin precipitaciones, hasta quedar arrinconada aquí como si se tratara de una materia líquida y gruesa. Los focos permanecen encendidos, encerrando a la noche dentro de los límites exactos de las cuatro paredes. Nadie podría decirnos si afuera anima aún la luz del sol, aunque apenas apun-

taba el crepúsculo hace unos momentos. Nadie podría decirnos si de pronto terminó el día y ha principiado la verdadera noche. Sabemos, sí, que la noche de aquí dentro es un poco inventada, un poco malignamente inventada; hay en su ser físico, en su presencia, como algo consciente capaz de accionar, de pensar, de urdir palabras y temores. ¡Dios mío! ¿Si se habrá caído todo, si todo no será ya solamente tinieblas y ceguera? ¿Si ocurrió lo más siniestro y más catastrófico y del mundo no quedan sino estatuas y cenizas? Aquí se detuvo la noche tremenda. Hemos traspuesto sus umbrales. Si en algún sitio de la tierra habría de comenzar la noche —comenzar en su sentido más palpable y sensorial y mental—, éste es ese sitio. Aquí acaba y principia todo. Aquí están estos focos encendidos. Allá, el día, el sol, la esperanza...! (II, p. 404).

Cristóbal lamenta su cautiverio pero más que nada lo aterra sucumbir al envilecimiento al que los otros muchachos se han sometido. La forma moral se hace accesible a través del vivo contraste. La noche es una vez más el mundo del desaliento. Los linderos de la noche, como fenómeno físico, y la noche del alma, se delimitan nítidamente; persisten los ecos nocturnos una y otra vez:

> ...el sol había caído hasta el fondo. No como de costumbre, no por el crepúsculo, ni con su habitual lentitud suave y púrpura, sino de golpe, bruscamente, apagando la casa como si se hubiese corrido un telón funerario y espeso sobre el mundo. Del paisaje quedaba sólo este cuarto, con la noche embotellada. Y en este cuarto, Cristóbal, bajo los focos encendidos. (II, p. 407).

La luz artificial de los focos, propia de los lugares herméticos, de las prisiones —en contraposición a la luz solar— es siniestra y —paradójicamente— oscura. Su aspecto aciago se acrecienta:

> Las luces de aquí eran totalmente distintas a todas las luces que antes contemplara. En ellas anclaba la noche y todo lo que pasaba en la noche: los desvelos, la vigilancia, el dolor y el desamparo... (II, p. 407).

El empleado se identifica con el ambiente: "Fuera de aquellas cuatro paredes, separado de aquel mugroso escritorio, el empleado sería como un murciélago bajo la luz del sol, dando tumbos ,absolutamente ciego y extraño".

Al inscribir el nombre de Cristóbal en el libro de registros, como nuevo ingresado, el narrador insiste en el carácter nocturno, funesto, del acto:

> Este era el crepúsculo, el anticipado [sic] de la noche. La noche entraría tan de lleno y sería tan profunda que nunca tendría fin. Sería eterna, duradera, ciega e inmortal. (II, p. 417).

En el cuento "Una mujer en la tierra", la madre, diosa *ctónica*, decide vender su cuerpo para nutrir al hijo:

> Esa noche la calle estaba oscura. Tan oscura como los hombres. No hubo grandes dificultades, pues abundaban los noctámbulos, los sensuales. Ellos caminan atentos y seguros en medio de la noche porque ella les pertenece. La noche los extrae de quién sabe qué fondos y los coloca ahí... Ellos valoran, miden, toman en sus manos lo que les ofrece la noche. Si de pronto se iluminara todo... estos hombres morirían en el acto... Un hombre de la noche, un hombre sin cielo. (II, pp. 424-25).

La situación se define a través del motivo. La noche se afianza en su identificación con situaciones negativas, carentes de espiritualidad, es decir abyectas. Esta mujer piensa que ha "llegado a la sima, a la negación, a la brutalidad y al desamparo..." La correlación inconsciente-oscuridad-noche-ceguera y conciencia-luz-día-visión se reafirma en su polaridad instinto-espíritu.

A menudo el motivo de "la ceguera" acompaña al motivo noche-oscuridad como se puede constatar en algunos de los párrafos previamente citados. En el episodio del vagón del ferrocarril en *Los muros de agua*, introducido para ilustrar el motivo de las tinieblas, puede observarse el entronque con el motivo de la ceguera:

> En el interior... se podía caminar, a la ventura, durante un siglo entero, ya que no existía nada más vacío y eterno que la ceguera. Y el mundo estaba ciego, ausente de ojos... (I, p. 38).

Las calles de Londres amenazadas por los "raids", son tan sombrías como "ciegas". Es la misma ceguera que invade a la madre iracunda e inhumana de "La hermana enemiga" y la del empleado del Reformatorio donde se interna a Cristóbal o la de los hombres

que conspiran para asesinar en "la conjetura", o las gentes "ciegas
y muertas, con rostros sin facciones" de "La caída" o la ceguera
que abate al pastor protestante quien abandona a su sufriente grey
y se convence de que el miedo, la debilidad y la impotencia reinan
en su corazón:

> ...que [él] no era otra cosa que una humana criatura, con el
> cuerpo vencido y con los ojos sin siquiera mirar bien, ni siquiera
> mirar bien las cosas del espíritu porque estaban llenos de asombro
> de la vida y de la muerte y por ello secos en definitiva. "Pues si la
> lumbre que está en ti es oscuridad, la oscuridad ¿cuánta será?" recor-
> dó las palabras del Evangelio, según San Mateo. "Cuán poca es en-
> tonces —se dijo— cuán poca y cuán incierta la pobre luz de los
> hombres". (II, p. 480).

Muchos otros ejemplos adicionales —no mencionados aquí— se
encuentran en toda su obra y apoyan esta interpretación.

La ceguera, como se ha visto en los capítulos sobre *El luto humano* y *Los días terrenales,* revela la atrofia del lado espiritual y un
acrecentamiento de la faz *ctónica. Cuando* la transmutación de la
visión se reduce a un sólo ojo y este órgano aparece autónomamente,
su valor es entonces arquetípico. El ojo desplazado de la órbita ana-
tómica, al que pertenece normalmente, es el ojo heterotópico. En tal
forma aparece en la inconografía cristiana, en las religiones orientales
y en la mitología en general.[24] El ojo, como el sol, presenta un lado
negativo; puede ser fuente de luz, calor y bienestar, pero en otras
ocasiones es hostil y vengativo, como cuando agosta y aniquila plantas,
animales y hombres. En esta capacidad, omnividente y punitiva, lo
invoca Revueltas en *El luto humano, Los motivos de Caín,* "Dios
en la tierra", "La acusación", y en muchos otros de los ejemplos
ya citados. Por lo tanto es pertinente afirmar que, puesto que estos
motivos mantienen una estrecha conexión y pertenecen al mismo
núcleo simbólico, su aparición repetida e interdependiente adquiere
legitimidad dentro del presente contexto.

---

[24] J. E. Cirlot, *El ojo en la mitología: Su simbolismo* (Barcelona: Laboratorios del Norte de España, 1954), pp. 13 y 14. Cirlot prvoee la siguiente
información: "Given that the sun is the source of light and that light is
symbolic of the intelligence and of the spirit, then the process of seeing re-
presents a spiritual act and symbolizes understanding" *(A Dictionary,* p. 95).

Los cuatro motivos arquetípicos indicados: el *pharmakos,* Caín, el descenso a los infiernos y la oscuridad-ceguera-luz el ojo, contribuyen a imprimir una fuerte unidad temática a la obra de José Revueltas. La misma problemática reaparece una y otra vez, lo que, en última instancia, sólo reafirma que la mitopoesis desempeña una función vital en la ficción revueltiana.

CONCLUSIONES

La interpretación mítico-arquetípica de la obra de José Revueltas es una perspectiva diferente para revalorar la contribución de este controvertido escritor a la literatura de México. Revueltas es el primer prosista mexicano que abandona los trillados caminos de la caduca novela realista de los primeros decenios de siglo. Al introducir valores universales y aplicar técnicas experimentales en su novela de tema revolucionario *El luto humano,* José Revueltas inicia en 1943 la nueva novela mexicana contemporánea.[1]

Revueltas concibe el arte como un ejercicio de la libertad, en sus propias palabras es "el libre ejercicio de la conciencia crítica". Este papel de crítico de su sociedad y de su época que José Revueltas apasionadamente enarbola, es asumido también por otros escritores contemporáneos como Kundera y en el ámbito nacional Efraín Huerta.

La mitopoesis en su ficción tiene un propósito revolucionario. Para afirmar la naturaleza contradictoria del ser humano, para combatir la destrucción del espíritu y la alienación del hombre sin libertad, José Revueltas recrea mitos e imágenes primordiales. El autor usa el mito en dos dimensiones: por una parte en una forma premeditada, irónica, a base de continuas referencias de carácter nominativo en su mayoría, que tienen una existencia estática; mas no por ello disminuye su importancia puesto que cumplen su cometido: plasmar la desacralización del universo descrito; por otra parte, de

---

[1] Varios estudios han discutido la contribución del autor a la narrativa mexicana entre ellos Samuel O'Neill ("Psychological-Literary Techniques...) y Adolph Ortega ("The Social Novel...).

una manera inconsciente, se hacen patentes los motivos arquetípicos y las estructuras míticas que conllevan un sólido impacto ideológico.

Partiendo de Goethe y el drama del doctor Fausto como punto de referencia, Erich Neumann hace una observación que se relaciona con esta última afirmación. El revivificador de mitos, el escritor, en su creación —a semejanza de lo que ocurre en el proceso onírico— ilumina al lector sobre sus propios contenidos psíquicos.[2] Mediante estas estructuras y motivos arquetípicos Revueltas se rebela contra la moralidad burguesa, el fanatismo, la deshumanización, y se lanza como paladín de una nueva ética que reincorpora al hombre al círculo humano.

En *Los días terrenales* el héroe y los antihéroes creados representan, éstos, los males que aquejan al Partido Comunista Mexicano, aquél, al individuo militante íntegro. El héroe mítico en la realidad degradada del siglo XX no es un ser perfecto. El protagonista Gregorio Saldívar refleja el concepto revueltiano característico de un auténtico ser humano: su naturaleza ambivalente. Concomitantemente se revela la sensibilidad artística del héroe y el compromiso que tiene consigo mismo, que no medra ante la muerte, y lo conduce a tomar conciencia de su realidad.

Por medio de las teorías de Jung y Neumann, se ha descrito la formación de esta conciencia heroica mediante el *principium individuationis*.

En forma similar en *El luto humano* se reconoce fácilmente la estructura mítica universal; Natividad héroe marxista es reemplazado por Úrsulo pseudohéroe. Ambos encarnan el sistema de valores considerados positivo y negativo dentro del microcosmos novelístico. En la existencia rutinaria del grupo se revelan las imágenes arquetípicas, intemporales, congénitas en la naturaleza humana. La vuelta a los orígenes, la búsqueda de la madre, la homología Adan-Cortés/Eva-Malinche, la dependencia del hombre a la tierra conduce al ámbito del arquetipo femenino.

Esta novela abunda en imágenes y símbolos evidenciadores de una etapa arcaica, elemental, en el desarrollo de la conciencia del mexicano. La esperanza es destruida con las muertes prematuras de

2 *The Origins,* pp. 262-63.

Natividad y Chonita. La novela refleja el clima de desaliento que embargaba al escritor en la época en que fue concebida.

Hay un evidente proceso evolutivo del concepto heroico entre su segunda novela, *El luto humano,* y la tercera, *Los días terrenales.* En *El luto humano* la mitificación del héroe se lleva a cabo en un plano idealizado. Natividad está más cercano al concepto tradicional del héroe. Por el contrario Gregorio es un hombre de carne y hueso, concientizado, y por lo tanto capaz de advertir sus propios yerros. En contraste a Natividad, Gregorio es un comunista desilusionado de los dirigentes del Partido, escéptico de los cambios radicales que pueda efectuar una nueva sociedad.[3] En ambas novelas el héroe es aniquilado, figuras de *pharmakos,* a manos del *establishment.* Natividad sucumbe como resultado de las maquinaciones criminales del gobernador y sus secuaces. Gregorio en la prisión, víctima de sus carceleros, representantes de las instituciones legales. Este fin trágico también lo comparten los protagonistas de *Los muros de agua, Los motivos de Caín* y *Los errores.*

Los días terrenales aspira a ser una síntesis del proceso dialéctico y el género novelístico, y una descarnada cosmovisión de la condición humana; de aliento filosófico, político, irónico, mítico, es decir, trágico. Palpita en las palabras de Gregorio la pasión herética, pero en sus momentos más tenebrosos se columbra un rayo de esperanza al proponer el protagonista un camino cognoscitivo y dialéctico para defenderse de la finitud y de la soledad.

El autor es, ante todo, el artista que se vale del mito como antídoto de la sordidez de la vida contemporánea y como medio para recuperar su esencia. El escritor transmuta su praxis y los valores de una genuina filosofía individual en una significativa estructura literaria y el mito, el símbolo y el rito, son algunos de los instrumentos de su creación artística. La contribución más significativa del presente trabajo ha sido trazar la forma en que el escritor incorpora estos

---

[3] Consultado por Agustín Gurza acerca del destino de México, Revueltas expresa su consternación: "Oh! I just don't know. My country hurts me. Mexico is like a cross that one carry [sic] infinitely, and you are falling all the while. Mexico is a way of the Cross..." He was asked whether Mexico could be redeemed; the answer was barely audible and it depressed him to say it. 'I can't say that... I think not. No.' Then again a little more definitely, he said 'No.'" ("José Revueltas: Mexico's Most Wanted Writer," 5)

elementos mitopoyéticos en el tejido básico de su ficción como componentes esenciales de la estructura narrativa. En la obra del escritor el lector se enfrenta a la desmitificación de la realidad mexicana: el caos, la tiniebla, la violencia, y la inexistencia de una conciencia política. Los problemas existenciales y humanistas son la preocupación obsesiva de este esforzado escritor, quien les da cuerpo en una forma literaria.

Cruzado contemporáneo, José Revueltas, cree en el hombre, ente genérico con auto-conciencia de su historicidad, el cual al aceptar el sufrimiento y la muerte reafirma su dignidad y su calidad de hombre verdadero.

Olegario Chávez, uno de los personajes centrales de *Los errores,* con características heroicas, recapacita:

> Se inicia un silencio nuevo en el Orbe: el silencio de los salvadores, el silencio de las llamas que no quieren ser infierno, anuncio entonces del infierno puro, sin ningún humano fuego ni su esperanza quién sabe durante qué tiempo sin medida, que nadie podría pronosticar. La conciencia se oscurece y muere —y aquí no importa el grado y la profundidad, pues en todo caso ha dejado de ser una conciencia entera— ... cuando guardamos silencio precisamente en este tiempo que es el que menos lo merece entre cualesquiera otros tiempos de la historia, no es nadie sobre la superficie de la tierra —sino el Hombre quien junto a nosotros ha también enmudecido.

APÉNDICE

PANORAMA DE LA CRÍTICA SOBRE
JOSÉ REVUELTAS

En este apéndice se presenta la visión de una crítica selecta publicada sobre el autor desde el comienzo de su obra hasta nuestros días, y se discute su importancia como fuente de información para un estudio de su narrativa.

Aunque toda clasificación encierra por necesidad un elemento de arbitrariedad ésta se impone en favor de la claridad y facilidad expositiva. El criterio seguido aquí organiza el material en tres categorías a) análisis aparecidos en textos de literatura hispanoamericana y estudios de conjunto sobre literatura mexicana, b) libros monográficos y c) ensayos que se trabajan en torno al uso del mito en su literatura.

José Revueltas aparece aludido en la mayoría de los textos conocidos por el especialista de literatura hispanoamericana. Sin embargo la atención que se le dedica ha sido mínima y superficial. En breve comentario que apunta hacia la médula de la obra revueltiana. Fernando Alegría sintetiza lo característico de Revueltas y señala "su fuerte contenido social y sólido valor artístico".[1]

Alberto Zum Felde observa el super-realismo y la dimensión psíquica de su obra.[2] El crítico insiste en el mérito innegable de *El luto humano*, primera novela de renovación técnica en la narrativa de

[1] *Historia de la novela hispanoamericana* (México: Studium, 1966), p. 256.
[2] *Índice crítico de la literatura hispanoamericana: la narrativa* (México: Guarania, 1959), p. 485-488.

México, por el ahondamiento en la interioridad de los personajes y su alejamiento de la novela sociológica. Lamenta en cambio que sus personajes rurales sean reflejos intelectuales del autor mismo, lo que, en su opinión, resta autenticidad al relato novelístico. Para él, en *Los días terrenales* "el autor supera formalmente su labor anterior... insistiendo en ir al fondo de la conciencia de sus personajes y del sentido de sus vidas..."[3]

En su obra *A New History of Spanish American Fiction,* de más reciente publicación que las dos anteriores, Kessel Schwartz dedica un capítulo a lo que él denomina la "nueva novela".[4] En esta sección coloca a Revueltas al lado de Agustín Yáñez, y los categoriza como los fundadores de la novela contemporánea de México. En *El luto humano,* informa el crítico, José Revueltas se manifiesta como:

> An early Mexican user of interior monologue, he is one of the first novelists to portray the anguish and loneliness of modern life. This novel is one of the earliest and best explorations of the sub-concious...[5]

En los análisis interpretativos consagrados a la literatura mexicana, poco o nada sustancioso puede encontrarse sobre José Revueltas. Uno de los trabajos conceptuado muy completo: *The Mexican Novel Comes of Age de* Walter M. Langford, se limita a clasificarlo como novelista de la Revolución mexicana y a citarlo en tres ocasiones.[6]

John Brushwood reconoce el valor artístico del escritor pero cree que ha fallado en su intento de escribir la gran novela que se ha esperado de él. Brushwood le reprocha, entre otras cosas, que Revueltas no escriba dentro de la corriente de la novela tradicional: "Revueltas does not use a line straight or even in a pattern, but breaks it up and puts the pieces in a bowl that is his novel."[7]

[3] Ibid, p. 488.
[4] (Coral Gables, Fla: University of Miami Press, 1972), II, 286-89.
[5] Ibid, p. 287.
[6] (South Bend, Ind.: University of Notre Dame Press, 1971), pp. 38, 47, 181.
[7] John Brushwood, *Mexico in Its Novel* (Austin: University of Texas Press, 1966), p. 27. La tesis de maestría de James E. Irby, "La influencia de William Faulkner en cuatro narradores hispanoamericanos", UNAM, 1956, gozó de un inmerecido prestigio por largo tiempo y sirvió de guía a estudios posteriores como el de Brushwood, el de Joseph Sommers y el de Marta

Joseph Sommers le asigna poco, más o menos una página.[8] Ignorando el aporte técnico que Revueltas inyecta en la narrativa mexicana, Sommers da preferencia a tres escritores más tardíos, que siguen la brecha ya abierta por *El luto humano*. Sommers coloca a Revueltas en una categoría aparte, la del escritor comprometido, peca por omisión y castiga al autor con inmerecida dureza por su ideología política.

Manuel Pedro González dedica dos párrafos a Revueltas y califica *El luto humano* como una obra precaria, caótica, improvisada, en el tratamiento de personajes, selección de temas y técnica en general.[9]

Portal entre otros. Irby coincide con Brushwood, en cuanto al análisis de la técnica, sobre la incapacidad artística del escritor mexicano de aplicar un orden lógico en su creación. Es relevante en este punto citar a Sharon Spencer:

Novel readers continue, by and large, to seek in fiction the classic ideals of a joyous realism along with a "story," a "plot," and "characters" depicted in the nineteenth-century manner. But this spirit and its formalistic manifestations are usually not found in the works of the most serious novelists of the modern age, no more than in those of painters, sculptors, composers, playwrights, and poets. Thus, readers continue to expect characters rendered according to the principles of external and psychological verisimilitude; dialogue that approximates actual speech; plots, actions, and themes that reproduce the sociological and psychological preocupations of the majority of normal, middle-class men; and a story, or a sequence of events, that moves forward from point to point from a definite beginning toward a definite conclusion. When the same readers are confronted with charamters that seem *perverse or fantastic,* with *streams of highly intellectual* or *highly poetic language,* with *confusing patterns of narration, and with inexplicable temporal arrangements,* they become frustrated, hostile, and defensively contemptuous. No wonder that some fifty years after the advent of cubism, an earnest literary critic found it necessary virtually to beg readers and critics alike to give experimental novels a chance... *(Space, Time and Structure in the Modern Novel,* New York: New York University Press, 1971, p. xv.) (Subrayados nuestros.)

Aspecto que también discute Julieta Campos en su artículo "¿Qué es la novela?", *Espejo,* No. 4 (1967), pp. 11-19.

[8] Joseph Sommers, *Yáñez, Rulfo, Fuentes: La novela mexicana moderna* (Caracas: Monte Ávila Editores, 1969), pp. 211-12. Parte de este comentario crítico, el que corresponde a *Los errores,* apareció como reseña en *Books Abroad,* No. 3 (1965), pp. 329-30.

[9] *Trayectoria de la novela en México* (México: Ediciones Botas, 1951), p. 405.

José Luis Martínez pone en tela de juicio la novela laureada, *El luto humano,* a la que estima como esbozo de una gran novela.[10] Ve en ella el mismo defecto indicado por Zum Felde e Irby: el de poner en boca de personajes miserables, pensamientos demasiado elevados. Como observación valiosa para nuestro estudio, Martínez hace destacar el hecho de que Revueltas bucea por las oscuras galerías del subconsciente, cualidad que otorga profundidad a los personajes, lo que en palabras del crítico "manifiesta un intento de aplicar un mayor rigor analítico".[11]

La polígrafa y diplomática Rosario Castellanos, en unas breves frases consigna que Revueltas no ha logrado conciliar su ideología política con los principios estéticos, aunque reconoce en *Los días terrenales,* "una de sus novelas más logradas".[12]

Emmanuel Carballo a su vez observa la dimensión introspectiva de los personajes revueltianos, dirige la atención del lector al parentesco ideológico de su literatura y al simbolismo que impregna su obra.[13]

Por su parte la escritora Julieta Campos advierte que en Revueltas, como en Yáñez y Rulfo, no hay perspectiva crítica, e insiste en la pasividad de los personajes.[14]

El crítico marxista alemán Adalbert Dessau ofrece una visión

[10] *Literatura mexicana, siglo XX* (México: Robredo, 1949), I, pp. 221-226.

[11] Ibid, p. 226.

[12] "La novela mexicana contemporánea", *Juicios sumarios* (México: Universidad Veracruzana, 1966), pp. 101-102.

[13] *El cuento mexicano del siglo XX* (México: Empresas Editoriales, 1964), pp. 58-60.

[14] "La novela mexicana después de 1940", *La imagen en el espejo* (México: Universidad Autónoma de México, 1965), pp. 141-57. Difícilmente puede contradecírsele para abogar que la visión revueltiana, no es la de un universo encallado, pero es precisamente esta visión cataléptica la que con más fuerza comunica su mensaje de vehemente censura. Revueltas es un apasionado crítico de los revolucionarios sin propósito ideológico, de las instituciones corrompidas y de la realidad inoperante en México. El escritor ve al individuo como el resultado de la interacción de las fuerzas sociales e históricas. *El luto humano,* especialmente, es a la vez un tratado existencialista y una novela comprometida.

Vienen a la mente las reflexiones de Ortega y Gasset quien predice la extinción del género, pero sin embargo indica un camino para rescatarla, por la inmersión en la vida interna de los personajes, lo que él llama ejercer una autopsia, citamos:

analítica poco común de la novela de la Revolución.[15] Bien documentado, conocedor a fondo de fuentes, literatura, cultura e historia mexicanas, Dessau ofrece sin embargo un punto vulnerable: permite que su ideología tiña su criterio hasta el punto de distorsionarlo. La crítica de Dessau, a pesar de los esfuerzos de su autor, se aleja de la intención literaria y se pierde por los rumbos de la propaganda y el sectarismo político. *Los muros de agua* y *El luto humano* escrutinizadas bajo el lente del realismo crítico no logran satisfacer las expectaciones del estudioso alemán. En estas dos novelas Dessau ve que el conflicto social no es más que una excusa, el tema —insiste— son los problemas psicológicos inspirados por Freud. Compara *Los muros de agua* con la obra de un autor mediocre: *Mezclilla* de Francisco Sarquís, en la cual el tratamiento del obrero comunista ocupa el centro de la narración, lo que parece ser un indicio de la superioridad literaria de esta obra. Termina Dessau proscribiendo *El luto humano* por su nihilismo, y el autor, por su herejía, es tildado de anarquizante. Acertadamente el crítico alemán establece un lazo temático entre Revueltas y Samuel Ramos por su indagación en la conciencia nacional del mexicano. Por último Dessau ignora la existencia de *Los días terrenales,* novela que produjo reacciones acaloradas en los sectores comunistas.

The Stone Knife, versión en inglés de *El luto humano,* salió publicado en Nueva York en 1947.[16] Su traductor H. R. Hays incluye una suscinta introducción cuyo punto central es la dualidad que sufren los personajes: deseo de muerte y aserción de vida, que desemboca en el cielo muerte-resurrección que representa la Revolución. Poco después en diversas revistas aparecen varias reseñas concisas.[17] Esta

No en la invención de "acciones", sino en la invención de almas interesantes veo yo el mejor porvenir del género novelesco. *(Meditaciones del Quijote e ideas sobre la novela* (Madrid: Revista de Occidente, 1956) pp. 191-192).

[15] *La novela de la Revolución mexicana* (México: Fondo de Cultura Económica, 1972), pp. 370-74, 380-84.

[16] (New York: Reynal and Hitchcock, 1947.)

[17] Carlos Baker, "What To Do Till the Iceman Comes," *Virginia Quarterly Review,* 23 (Fall 1947), 623-27. Betty Kirk, "Most Despairing of All: *The Stone Knife*," *Saturday Review of Literature,* 30 (August 2, 1947), 14. Alice S. Morris, "Nightmare With Mexican Backdrop: *The Stone Knife*," *New York Times Book Review,* June 29, 1947, p. 18.

crítica norteamericana da énfasis al simbolismo de la novela, al aspecto cósmico y al interés de Revueltas por el destino del hombre. Sin llegar muy lejos tampoco, se distingue porque ignora el tono personal y se concentra en la obra misma.

Las dos colecciones de cuentos de José Revueltas han sido reconocidas por su alta calidad literaria y varios de estos cuentos han sido consagrados en obras antológicas. El único cuento de Revueltas, "Dios en la tierra", que va acompañado de un penetrante comentario analítico es el que ofrece Seymour Menton en el segundo tomo de su antología *El Cuento Hispanoamericano*.[18]

En 1980 se publica el volumen *Proceso narrativo de la Revolución Mexicana* de Marta Portal, profesora de literatura y novelista hispana.[19] Sus análisis van más allá de lo puramente literario en busca de la comprensión de un México desconocido para la España peninsular. El resultado de sus indagaciones es una disección incisiva y totalizadora de la novelística mexicana que abarca alrededor de cincuenta años, la época que va desde Mariano Azuela, hasta Fernando del Paso y Elena Poniatowska. Marta Portal considera la interacción entre objeto literario e historia; el paso de la estructura histórica a la estructura épica y de allí a una nueva estructura que es ya mítica. El hecho de que la autora asturiana aplique una aproximación mítica al análisis del fenómeno histórico y a su literatura, es en extremo conveniente como marco de referencia para ubicar nuestro estudio interpretativo de las novelas de Revueltas. Portal se limita al análisis de *El luto humano* y establece un vínculo entre esta novela, *El extranjero* de Camus y *La familia de Pascual Duarte* de Cela. Considera *El luto humano* como la novela más importante y la más revolucionaria de José Revueltas, en cuanto al uso de la perspectiva dialéctico-materialista y por su concepción del tiempo narrativo. La autora apunta que al negar la concientización de las masas, Revueltas se aparta de la actitud de sus coetáneos intelectuales, lo que confirma su autonomía ideológica y su postura radical de solitario existencial. Estima, sin embargo, que para el escritor mexicano "la miseria cor-

[18] 2º Vol (México: Fondo de Cultura Económica, 1964) pp. 48-58.
[19] (Madrid: Espasa Calpe, S. A., 1980) pp. 182-193, 317-319, 323-324, 330-331, 348-350, 356-357, 359, 362, 370-371.

poral es la única dimensión genérica del hombre".[20] Tacha la intrusión del autor en su narrativa de elemento superfluo, extraliterario, atribuyéndolo a la necesidad de introducir su criterio marxista. La profesión de fe de un stalinismo rezagado descalifica a José Revueltas —a los ojos de Portal— como iniciador de una nueva manera de novelar, a pesar de que lo acepta como innovador formalista del género. Afirma con acierto Portal que, a diferencia de sus predecesores, el autor mexicano mitifica el porvenir. Siguiendo los pasos de Irby y Brushwood, Portal declara que Revueltas utiliza "su método habitual, un proceso confuso y turbio"[21] y es incapaz de estructurar literariamente ese "algo" que la literatura utópica promete restaurar.

Conversaciones con José Revueltas, título de un tomo que editó la Universidad Veracruzana, reúne trece entrevistas escritas entre 1950 y 1976.[22] Lleva adjunta una bibliografía de la obra del autor mexicano, recopilada por Marilyn Frankenthaler, y contiene lo publicado sobre el autor hasta 1977, de gran utilidad para el estudioso

---

[20] Ibid, pp. 183-184.

[21] Ibid, pp. 370-371. Lo político, la oscuridad y confusión de sus escritos, lo escatológico, son elementos adversos que todavía se esgrimen contra sus escritos. Significativo es el comentario de Alegría con respecto al problema de la literatura feísta:

> En el reino de lo *feo* la palabra se carga de significados brujos. La densa morbosidad sexual, que no reconoce las tradicionales crisis porque los tabúes que las estimulaban son ya cartones abandonados, se echa sobre una novela como lenta mancha incontrolada que, al extenderse, crea imágenes y deja claves.
>
> La vida de estos libros quema las manos del viejo crítico, ... la *fealdad* de la novela moderna les arranca quejas: quisieran ver en su lugar amables fábulas que falsearan piadosamente la realidad y nos dieran un milnovecientos pacífico en vez del cataclismo que va creciendo como un hongo mortal a nuestros pies. Hablan con ofendido pudor de lo escatológico... Así es que al crítico bien establecido le chocan hoy los personajes que se comportan como verdaderos seres humanos, y le ofende ver en la novela una vida que es tan compleja, absurda y violenta, como es la vida misma, ésa que nos acongoja a todos.
>
> El escritor no exalta la fealdad; la reconoce, la rescata y, si tiene talento, le da categoría estética. ("Estilos de novelar o estilos de vivir", *Coloquio sobre la novela hispanoamericana* [México: Fondo de Cultura Económica, 1967], pp. 144 y 145.)

[22] *Op. cit.*

de su literatura; también se incluye una introducción de Jorge Ruffinelli. Este libro es sin duda el primer paso para el conocimiento
de las ideas de Revueltas y para interesar al público en la lectura de
su obra.

La crítica escrita con rigor erudito, producto de una acuciosa
investigación, es de reciente hechura y se encuentran contados estudios de este calibre. Hay que aclarar que nos referimos a libros
publicados, ya que en los últimos diez años se han elaborado muy
buenas tesis doctorales y de maestría, principalmente en las universi-
dades de México y de los Estados Unidos, aunque sabemos de dos
que proceden de Francia y una de la Gran Bretaña.

El primer libro monográfico: *José Revueltas, ficción, política y
verdad,* del investigador uruguayo Jorge Ruffinelli, se publica en
México en 1977.[23] Es el primer proyecto serio de llevar a cabo una
tarea de reconocimiento y de rendir homenaje al escritor durangueño
tan injustamente marginado. El libro de Ruffinelli como indica su
título, es un compendio de la obra narrativa, la vida y la actividad
intelectual y política del autor.

Esta obra se estructura a base de doce incisos, una introducción
y un brevísimo índice de la paginación de las obras citadas de Revueltas en el texto. Jorge Ruffinelli se propone estudiar la prosa
narrativa, para llegar a la búsqueda de constantes que se manifiesten
en ella. Cree que el camino a seguir, en un enfrentamiento con José
Revueltas, es la aprehensión global del escritor en sus múltiples face-
tas y ofrece un punto de partida para un estudio de esta índole.
Formula —en la introducción— los puntos más salientes en la carrera
y en la escritura de José Revueltas.

En la primera sección Ruffinelli explica las dos etapas en que
divide la obra revueltiana. La línea divisoria la constituyen la aparición en su literatura, vía *Los días terrenales,* de la razón dialéctica
que capta los movimientos de la realidad, y de la problemática conflictiva como elemento literario. La primera época la define Ruffinelli por la autobúsqueda de un estilo y contenido auténticos y la
segunda por la plena madurez del escritor en control de su artesanía.
Traza también el crítico en esta primera subdivisión, las raíces e
influencias que modelaron la cosmovisión del autor.

[23] *Op. cit.*

El segundo apartado enfoca el tema de la prisión que es parte intrínseca de la vida y la obra del escritor mexicano; encuentra Ruffinelli en el realismo ruso el antecedente más definitorio, específicamente, en las *Memorias de la casa de los muertos,* de Dostievski.

La tercera sección está dedicada a exponer suscintamente las bases teóricas de su literatura: el realismo materialista-dialéctico así como los puntos de contacto, dentro del arte marxista, con el pensamiento de Ernest Fisher.

En las restantes nueve subdivisiones, bajo sugestivos subtítulos: "El odio de clase", "un génesis oscuro", y otros, cubre los nueve libros de Revueltas, sus siete novelas y sus dos colecciones de cuentos, en orden cronológico: *Los muros de agua, El luto humano, Dios en la tierra, Los días terrenales, Los motivos de Caín, En algún valle de lágrimas. Los errores, Dormir en tierra* y *El apando.*

Ruffinelli insiste en señalar, lo que él considera, las profundas raíces cristianas y bíblicas del autor. Discute el concepto del pecado que —según él— aparece claramente aludido por el narrador en las dos primeras novelas y en el cuento "El quebranto" y presenta la idea de un movimiento dialéctico entre la tentación versus la voluntad que se resuelve finalmente en la salvación del personaje mediante el *Deus ex-machina* del autor.

El crítico también porfía en hacer notar ese "algo" que reaparece al final, en cuatro de las novelas revueltianas —un voluntarismo de supervivencia— es decir, cierto atisbo de esperanza que se resuelve en *Los muros de agua* como solidaridad partidista y en *Los días terrenales* en la convicción del destino asumido.

Identifica Ruffinelli cinco "temas" que hacen acto de presencia en *Los errores,* algunos —informa— se manifiestan en toda la obra literaria, otros cobran un nuevo matiz. Estos "temas" son los que él llama el del disfraz, el escatológico, el de la avaricia y la explotación, el de la cárcel y el del universo político.

El apando constituye para Ruffinelli el "testamento literario" del autor, epílogo de su obra narrativa, en el que confluyen, informa, el pesimismo y el nihilismo más profundos. Y termina afirmando que la literatura desolada de José Revueltas desemboca en un supremo escepticismo del cual la rescata únicamente la lucha por la desenajenación, vía el sufrimiento, la conciencia, y la solidaridad humanas.

No obstante la obvia admiración y simpatía del crítico por el escritor y su obra, su estudio apunta debilidades y logros con un balance a favor de estos últimos. Jorge Ruffinelli ofrece una excelente visión de conjunto, útil para un público a la búsqueda de una síntesis introductora a la obra de José Revueltas. En este sentido y cumpliendo sus propósitos, la labor de Ruffinelli es sin duda una contribución genuina de iniciación al corpus crítico de la obra de José Revueltas.

Bajo el título de *José Revueltas. Una literatura del lado moridor,* aparece en 1979 una muy original exégesis de la obra del escritor mexicano, basada en las ideas de Marx, Deleuze y Guattari.[24] Su autor es Evodio Escalante, quien estima que todo acercamiento literario es ocioso, puesto que —a su parecer— Revueltas no tiene un propósito estético al escribir su obra literaria. Reconoce en el escritor a un introductor de "novedades formales" y concede que la indiferencia que éste manifestara por los límites de los géneros literarios lo llevó a ser tildado por la crítica tradicional, de escribir libros torpes y cansados. Considera que sus cuentos, elogiados por la crítica adocenada —nos dice—, no exceden los viejos cartabones burgueses, no así las novelas, que son ricas en ideas y en innovaciones formalistas. Creo que su obra debe ser estudiada como una entidad y no fragmentarse por géneros.

Escalante propone, a diferencia de Ruffinelli y de Frankenthaler, un acercamiento *sui generis,* entiéndase, una lectura literal de los textos. Descarta rutinas y hábitos literarios para aplicar a los textos las teorías económicas de Marx que fueron "su inspiración teórica en tanto narrador".[25] El título de su libro proviene del giro que Revueltas emplea en el prólogo a la edición de su *Obra literaria* para designar el lado dialéctico de la realidad, "su lado moridor". Escalante pervierte la fórmula revueltiana y procede a edificar un sistema de reducción que desemboca en la aniquilación absoluta de la narrativa revueltiana.

Este libro, aunque pequeño en número de páginas, es substancioso en conceptos a pesar de que muchos de ellos son negativos.

---

24 (México: Era, 1979).
25 Ibid, p. 29.

Por medio de un lenguaje agresivo Escalante expone lo que él estima que se propuso Revueltas al elaborar su "máquina literaria". Cree que de dos modos se evidencia la doctrina marxista del escritor; la primera consiste en explotar al lector mediante un proceso que Escalante califica de "proletarización... de pauperización creciente",[26] o sea su deshumanización; y segundo la deshumanización de sus personajes. Dentro de este esquema el pesimismo que se achaca a la literatura revueltiana no tiene cabida, sostiene el crítico. La metodología revueltiana la entiende Escalante como un sistema de coordenadas que van en descenso hasta completar la degradación total.

Escalante describe el contraste entre un lenguaje centrípeta, denso, "paranoide" que tiende a la clausura y un movimiento a la inversa, de los personajes típicos de Revueltas que Escalante denomina "en fuga" o "esquizos". Reconoce que no todos los personajes, aunque muchos, pertenecen a esta clasificación; como por ejemplo Cristóbal ("El quebranto"), Soledad y El Miles *(Los muros de agua)*, El Carajo *(El apando)*, Jack *(Los motivos de Caín)*, Gregorio *(Los días terrenales)*, Olegario Chávez y otros *(Los errores)*. La disimilitud de los personajes agrupados —héroes y antihéroes— es una razón de peso, entre otras, para cuestionar su categorización. A Mario Cobián, "El muñeco" *(Los errores)*, le es difícil clasificarlo por su ambigüedad y porque es un personaje complejo que manifiesta "flujos contrarios". Los pasos de este proceso de rebajamiento que distingue Escalante son "los cuerpos baldados" (que se repiten en la literatura de Revueltas); "la animalización" (que es también reiterada); y el último paso que son "las conexiones excrementales" y específicamente "la defecación de la memoria"[27] que, según informa el crítico, llega a su máximo exponente en el cuento "Ezequiel o la matanza de los inocentes": "Este desvanecimiento del mundo y del recuerdo, esta precaria existencia de la memoria y del universo ('que trata de saciar su furia por desaparecer'), son la consecuencia última de un largo

---

26 Ibid, p. 31.
27 Ninguno de los investigadores de Revueltas ha hecho referencia a que lo escatológico tiene un remoto caudal cultural; es parte de la tradición literaria hindú, de la antigüedad clásica, los *fabliaux* franceses, de Bocaccio, de la literatura inglesa (Chaucer, Jonathan Swift, James Joyce entre otros) y en nuestros días algunos grandes desmitificadores la han usado: como Henry Miller y Juan Goytisolo.

proceso de desarrollo que se da en el interior de la máquina literaria".[28]

Esta interpretación niega todo crédito al quehacer literario y filosófico del escritor. Además para hacer válido su enfoque Escalante arrasa, y hasta escarnece, la crítica existente para convencer al lector de su tesis. De aceptar las declaraciones del autor que esto es "lo que constituye la verdad profunda de esta máquina literaria y la única que le confiere... un sentido..."[29] la crítica sobre Revueltas estaría ya monolíticamente clausurada. No cabría, para el resto de sus investigadores, sino resignarse a aceptar que no queda nada por hacer porque se ha dicho todo.

José Revueltas: El solitario solidario,[30] cuya autora es Marilyn Frankenthaler —maestra norteamericana de letras hispanas— se publica en el mismo año que el libro anterior. Escrito en español, es el estudio más completo que existe hasta la fecha sobre el escritor mexicano. Ofrece una perspectiva existencialista y un estudio comparativo entre las ideas de José Revueltas y de Jean Paul Sartre. Aquí una sólida base de investigación respalda el análisis crítico.

Frankenthaler explica su afán de reivindicar a José Revueltas, empleando una aproximación literaria para "restaurar el equilibrio de la crítica y desentrañar la dimensión existencialista, humana, en su obra narrativa..."[31] Expone la difícil tarea del escritor que se enfrenta al compromiso político y a la búsqueda de autenticidad, punto de convergencia para dos escritores, el mexicano José Revueltas y el francés Jean Paul Sartre. La autora hace notar las oscilaciones de Revueltas bajo las exigencias del devenir político y sus propias demandas personales, adoptando una postura flexible encaminada a indicar los valores, paralelismos y diferencias en la obra y la experiencia de ambos escritores. Frankenthaler emprende el estudio de la obra narrativa de Revueltas *in toto,* tomando como epicentro la producción novelística. Traza y examina sus textos literarios a la vez que entreteje los aspectos ensayísticos y biográficos que apoyan sus aseveraciones. Asimismo ahonda en tres temas de cariz existencialista:

[28] *Op. cit.,* p. 112.
[29] Ibid.
[30] *Op. cit.*
[31] Ibid, p. 15.

el desarraigo, la degradación y la deshumanización. La investigadora presenta varios motivos que se relacionan con los temas apuntados, el del *outsider,* nombre que toma de una entrevista que le hace a Revueltas Margarita García Flores quien con esta etiqueta designa a todos los personajes "caídos" que incluye Revueltas en su narrativa.[32] Se centra Frankenthaler en diversos personajes desarraigados, o *outsiders,* que proliferan en la prosa de Revueltas. La enajenación —apunta la autora— es también un tema marxista así, en la escritura revueltiana, el individuo siempre ocupa un lugar preponderante. De igual manera, hace hincapié en la enajenación y la soledad de los personajes: "Esta concepción existencialista de la vida implica que toda la fe revolucionaria no consigue rescatar al ser humano de su desamparo permanente y necesario".[33] Otros aspectos de los que se ocupa son el de la sordidez de sus ambientes, la fealdad de su material y la abundancia de lo escatológico, peculiaridades que han sido comentadas por otros críticos. Frankenthaler interpreta que la reiteración de estas situaciones revela al hombre contingente, inmerso en su total desolación. Estudia también el motivo de la prisión y la consecuente bestialización del hombre. Emplea un buen trecho para el examen de las coordenadas temporales, tanto del tiempo cronológico como del subjetivo. Hace referencia asimismo a la negación de ciertos valores morales, específicamente señala el papel de la religión y la presencia de elementos bíblicos en toda la obra narrativa de Revueltas, y apunta, como lo han hecho Romero y Ruffinelli, la inversión bíblica en *El luto humano.* Las continuas referencias a la religión y a lo divino, por contraste —insiste esta escritora— hacen más palmaria la condición de orfandad del ser humano.

La autora dedica también una buena parte al estudio de las mujeres revueltianas. La problemática femenina aparece en una forma incipiente en el cuento "Una mujer en la tierra"; en contadas ocasiones se desarrolla, rudimentariamente, el personaje femenino. Éste por lo general tiene un papel negativo; un *outsider* la llama Frankenthaler, "el papel de la mujer sigue siendo la [sic] de una descendiente de la Malinche".[34] La prostituta es un personaje que pulula por las

[32] Ibid, p. 66.
[33] Ibid.
[34] Ibid, p. 113.

páginas de Revueltas, acertadamente observa Frankenthaler el que
muchas de estas mujeres demuestran una pureza que no proviene de
la virginidad. Y por último insiste la comentarista en la presencia,
en esta literatura, del compromiso y la responsabilidad del hombre
consciente a base de sufrimiento y soledad, reafirmando la realización
del individuo. La lucha solitaria e individual es el punto de partida
para llegar a "los otros", y éste va a ser el tópico que desarrolla
Frankenthaler a continuación: la relación del Yo con el mundo circundante sobre la base de las teorías sartreanas. La mirada es el
expediente más obvio de esa relación con "el otro". Otros motivos
que analiza son el amor y el sexo, el lenguaje, la soledad y la in-
comunicación. El amor entre sus personajes es siempre una relación
conflictiva. Irónicamente el amor se encuentra, como hace notar
Frankenthaler, en situaciones poco convencionales: el amor unidimen-
sional de Soledad, la lesbiana *(Los muros de agua)*, o el de Lucrecia,
la prostituta, por su padrote "El muñeco" *(Los errores)*, o el de
Epifania por Gregorio *(Los días terrenales)*.

La calidad del amor se pervierte y se entiende como deseo de
posesión o se manifiesta mezclado con hostilidad, violencia, u otras
emociones negativas. La fusión entre el sexo y la muerte también es
aparente en relaciones como la de Gregorio y Epifania. Frankenthaler
ahonda prolijamente en estas complejas relaciones humanas, hay una
plétora de ejemplos tomados de la narrativa para reforzar estas afirmaciones.

El estudio finaliza con una recapitulación de las ideas existenciales,
del En-sí y el Para-sí sartreanos; hace hincapié en la dialéctica entre
el hombre, la realidad, y su libertad de elección entre la pasividad
y la acción. La autora cala en estas situaciones "límite", médula
de la literatura revueltiana: la muerte omnipresente y su contraparte
la lucha, la conciencia, que son la respuesta al conflicto entre la soledad individual y el compromiso político.

Este libro de Marilyn Frankenthaler es una valiosa aportación
con la que cuenta el estudioso de los textos literarios de José Revueltas.

Interesa mencionar aquí la reseña que el poeta y ensayista mexicano Octavio Paz publicó inmediatamente después de la aparición

de *El luto humano*.[35] Escrita en un tono incisivo, somete al entonces joven escritor a un severo juicio. Su comentario teñido de subjetividad sólo tiene como dato relevante para nuestro tema la mención del uso que hace Revueltas de los ritos de fecundidad azteca y cristianos y de los mitos mexicanos. Revueltas con esta novela es de hecho un precursor de Octavio Paz, y del mismo grupo Hiperión al adentrarse en la psique del mexicano. La búsqueda del origen y la madre, el arquetipo femenino, la Malinche, el dilema del mestizaje, la soledad y la orfandad del hombre del altiplano están ya presentes en *El luto humano*. Cuatro años más tarde Paz publica su ya consagrado estudio ontológico en el que elabora y ahonda estos temas.[36]

M. Ernesto Terríquez Sámano publica un opúsculo intitulado *Una Visión de Revueltas: Ideología y Mito en el Luto Humano* [sic].[37] Aunque no propiamente un artículo ya que es una publicación aislada (el texto se extiende por veintiocho páginas) se incluye en este obligado encasillamiento porque gira en torno al mito.

Terríquez Sámano certeramente habla de la escasa valoración crítica existente sobre el escritor y del limitado círculo de lectores de que goza su obra. Bosqueja una concisa semblanza biográfica del autor que finaliza con una anécdota que denota la hondura moral del escritor, misma —nos dice— que impregna toda su obra. Reconoce lo exiguo de su análisis y declara su motivación de ofrecer: "una nueva perspectiva... y exaltar a uno de los novelistas mexicanos más importantes de nuestro tiempo".[38]

Terríquez examina la segunda novela de Revueltas. Destaca el uso de ritos y mitos, algunos que no funcionan como se espera —Adán y la Borrada—; la simbología en general; la representación de la lucha humana por el águila y la serpiente, en la cual el Águila-Natividad, nuevo Cuauhtémoc, es destruido por la Serpiente-Adán.[39]

---

[35] "Una nueva novela mexicana", *Sur*, No. 105 (Julio de 1943), pp.
[36] *El laberinto de la soledad* (México: Cuadernos Americanos, 1947).
[37] (Colima: 1977).
[38] Ibid, p. 28.
[39] Creemos que el paralelismo no se sostiene porque el águila representa para Revueltas el afán destructivo de los aztecas, la rapacidad, (véase la p. 104 de este ensayo) y porque Cuauhtémoc, espíritu rebelde y bélico, no concuerda con el carácter pacifista de Natividad.

Hace notar la importancia del paisaje y la naturaleza, reflejo de los personajes. Compara la imagen de la muerte creada por Revueltas: traicionera, enemiga, en contraste con la que proyecta el arte de Posada, juguetona y humorística. Observa el mensaje que arrojan la conducta del cura, de los personajes, y barrunta que "la visión particular de México [tal vez] deformada [situada] en un tiempo y espacio dados... tiene vigencia en algunos... aspectos..."[40]

También el artículo de Publio Octavio Romero, "Los mitos bíblicos en *El luto humano*",[41] toca parcialmente el tema del presente ensayo. Escritos ambos por la misma época, coinciden en la sensibilidad del momento, la atracción por el enfoque mítico arquetípico.[42] Romero prepara el terreno para nuestra interpretación; los dos trabajos se complementan, algunos puntos necesariamente se acercan, por ejemplo en algunas de las conclusiones, pero Romero es muy específico; a él le interesan únicamente los mitos cristianos. Su artículo, por lo constreñido del espacio —siete páginas— no desarrolla los conceptos del enfoque mítico aunque está familiarizado con la obra de Frye y menciona a Eliade. Observa Romero la ironía de Revueltas en colocar a Úrsulo y a sus seguidores, vagando sin meta, en una situación sin escape posible. Considera, como lo ha hecho también O'Neill,[43] que la novela falla debido a lo obvio en la caracterización de Natividad. Describe la elevación de Úrsulo a la jerarquía de "Hombre-dios" y su papel como sucesor de Natividad. Cree que Revueltas, por medio de Úrsulo —anti-héroe—, evidencia una clave para la comprensión de esta novela, al destacar su "reino... vencido". Esta coyuntura le sirve a Romero para establecer las correspondencias con las ruinas en la esfera del mito y de la historia en *El luto humano*. Concluye Romero su examen subrayando el "génesis inverso de valencias negativas y de intenciones claramente desmitificadoras"[44] del libro, al poner en tela de juicio los momentos

[40] *Op. cit.*, p. 28.
[41] *Texto Crítico* (Xalapa), Año I, No. 2 (julio-diciembre de 1975), pp. 81-87.
[42] Romero realiza estudios en los Estados Unidos y escribe la tesis de maestría "Análisis de personajes en algunos cuentos de José Revueltas" para la Southern Illinois University, en 1972.
[43] Véase cita No. 3 del capítulo III de nuestro ensayo.
[44] P. 86.

cumbres en la historia del mexicano. Romero infiere el mensaje del autor, del fracaso humano y divino, en la configuración deshumanizada del universo revueltiano, como consecuencia de la oposición dialéctica de mito e historia en esta novela.

Actualmente se encuentra en prensa el libro de Sam Slick, *José Revueltas: His Life and Works,* publicación de la colección Twayne de Boston. Slick ha hecho un enjundioso estudio, una visión totalizadora de su vida y su obra completa. El libro cubrirá la biografía del autor, la narrativa, la producción teatral y la ensayística, tanto el pensamiento político como el estético.[45]

También tenemos informes que Phillippe Cheron está a cargo de la traducción de la tesis de Antoine Rabadán, *"El luto humano:* un roman tragique", la cual desconocemos, para su publicación.[46]

Por el panorama crítico explorado se concluye que hasta la fecha no existe ningún libro publicado sobre el mito y la desmitificación en la narrativa de José Revueltas. Algunos comentaristas mencionan o analizan el uso de elementos bíblicos y el carácter mítico de algunos de sus cuentos y *El luto humano,* pero no se ha emprendido la tarea de investigar sistemáticamente esta constante en estas dos novelas.

---

[45] Slick escribió su tesis doctoral "The Positive Hero in The Novels of José Revueltas", the University of Iowa, 1947, basado en el héroe positivo comunista y ahora publica un estudio totalmente nuevo.

[46] Existen tres tesis que sabemos versan sobre el mito. Una es la de William Mario Matricola, *"El luto humano* de José Revueltas: un examen de la conciencia mexicana", UNAM, 1973, la cual desconocemos. Otra es la tesis de maestría de Eliseo Guillermo Andrade Carmona, "El Mito, la Muerte y lo Telúrico en Rulfo, Fuentes y Revueltas" [sic] que es un estudio parcial; y la tesis doctoral de Kristyna Demaree "Time, Space and Myth in the Novels of José Revueltas", University of Colorado, 1975, quien discute estos tres elementos —el mito en un sentido más amplio que el nuestro— en toda la novelística. Enfoca los mitos de "la búsqueda" y "el laberinto" en sus dos primeras novelas, *Los muros de agua* y *El luto humano.* Sintetiza que Revueltas explora el mito del Comunismo, el del Paraíso perdido, el del Caos y la Aniquilación y señala el mito de Caín y Abel como el más consistente en sus novelas.

BIBLIOGRAFÍA

Obras consultadas de José Revueltas

The Stone Knife. New York: Reynal and Hitchcock, 1947.
Obra literaria. 2 vols. México: Empresas Editoriales, 1967.
"Textos, notas, apuntes, observaciones (1945-1964)". *Revista de Bellas Artes*, No. 17 (septiembre-octubre, 1967), 4-15.
México: Una democracia bárbara. Posibilidades y limitaciones del mexicano. México: Ediciones Ateneo, 1958.
Cuestionamientos e intenciones, Obras completas, Vol. 18, México: Era, 1978.
Entrevistas personales con el autor en el Palacio Negro de Lecumberri en agosto de 1969 y en Claremont, California, en abril de 1972.

Obras generales consultadas

Adler, Gerhard. Foreword to Erich Neumann, *Depth Psychology and a New Ethic.* New York: G. P. Putnam's Sons, 1969.
Alegría, Fernando. "Estilos de novelar o estilos de vivir". *Coloquio sobre la novela hispanoamericana.* México: Fondo de Cultura Económica, 1967, pp. 135-147.
————. *Historia de la novela hispanoamericana.* México: Studium, 1966.
Baker, Carlos. "What to Do Till the Iceman Comes". *Virginia Quarterly Review,* 23 (Fall 1947), 623-27.
Barthes, Roland, *Mythologies,* Paris: Seuil, 1957.
Beckson, Karl, and Ganz, Arthur. *A Reader's Guide to Literary Terms.* New York: The Noonday Press, 1960.
Bowra. Cecil Maurice. *The Creative Experiment.* London: Macmillan, 1949.
Bronowski, Jacob. *The Face of Violance.* New York: Braziller, 1955.
Brushwood, John. *Mexico in Its Novel.* Austin: Universidad of Texas Press, 1966.
Bulfinch, Thomas. *Bulfinch's Mythology: The Age of Fable or Stories of Gods and Heroes.* New York: Doubleday and Co., 1948.
Burgess, Anthony. *The Novel Now.* New York: Pegasus, 1970.

Campbell, Joseph. *El héroe de las mil caras: Psicoanálisis del mito*. Trad. Luisa Josefina Hernández. México: Fondo de Cultura Económica, 1959.

Campos, Julieta. "La novela mexicana después de 1940", en *La imagen en el espejo*. México: Universidad Autónoma de México, 1965.

————. "¿Qué es la novela?" *Espejo*, No. 4 (1967), 11-19.

Carballo, Emmanuel. *El cuento mexicano del siglo XX*. México: Empresas Editoriales, 1964.

Cassirer, Ernst. *The Philosophy of Symbolic Forms*. Trans. Ralph Manheim. 3 vols. New Haven: Yale University Press, 1965.

Castellanos, Rosario. "La novela mexicana contemporánea", en *Juicios sumarios*. México: Universidad Veracruzana, 1966.

Chase, Mary Ellen. *Life and Language in the Old Testament*. New York: Norton, 1955.

Chumacero, Alí. "La obra de José Revueltas". *El Nacional*, enero 9 de 1948.

Cirlot, Juan Eduardo. *El ojo en la mitología: Su simbolismo*. Barcelona: Laboratorios del Norte de España, 1954.

————. *A Dictionary of Symbols*. Trans. Jack Sage. New York: Philosophical Library, 1962.

Conversaciones con José Revueltas, Ed. Jorge Ruffinelli. Xalapa: Universidad Veracruzana, 1977.

Crespi, Robert. "Diálogo con José Revueltas". *Mundo Nuevo*, Nos. 57 y 58 (marzo-abril, 1971), 56.

Demaree, Krystina Paulina. "Time, Space and Myth in the Novels of José Revueltas". Diss., University of Colorado, 1975.

Dessau, Adalbert. *La novela de la Revolución mexicana*. México: Fondo de Cultura Económica, 1972.

Díaz del Castillo, Bernal. *Historia verdadera de la conquista de la Nueva España*. Edición modernizada, prólogo y notas de Ramón Iglesia. 2 vols. México: Nuevo Mundo, 1943.

Díaz Ruanova. "No he conocido ángeles, dice Revueltas". *México en la cultura*, No. 69 (28 de mayo de 1950), 3.

Edinger, Edward, F. *Ego and Archetype: Individuation and the Religious Function of the Psyche*. New York: Penguin Books, 1972.

Eliade, Mircea. *Birth and Rebirth: The Religious Meaning of Initiation in Human Culture*. New York: Harper and Brothers, 1958.

————. *Myths, Dreams and Mysteries: The Encounter Between Contemporary Faiths and Archaic Realities*. New York: Harper and Row, 1960.

————. *Images and Symbols: Studies in Religious Symbolism*. New York: Sheed and Ward, 1961.

————. *Mito y realidad*. Trad. Luis Gil. Madrid: Guadarrama, 1968.

————. *El mito del eterno retorno: Arquetipos y repetición*. Madrid: Alianza Editorial, 1972.

Escalante, Evodio. *José Revueltas. Una literatura del lado moridor.* México: Era, 1979.

Espinosa, Altamirano Horacio. "Andanzas y conversaciones: La realidad amotinada de José Revueltas". *El Universal,* julio 3, 1971.

Frankenthaler, Marilyn. *José Revueltas: El solitario solidario.* Miami: Ediciones Universal, 1979.

Frankl, Viktor. *Psicoanálisis y existencialismo.* México: Fondo de Cultura Económica, 1950.

————. *Man's Search for Meaning: An Introduction to Logotherapy.* New York: Washington Square Press, 1963.

Frye, Northrop. *Fables of Identity: Studies in Poetic Mythology.* New York: Harcourt, Brace and World, 1963.

————. *Anatomy of Criticism: Four Essays.* New York: Atheneum, 1966.

González, Manuel Pedro. *Trayectoria de la novela en México. México:* Ediciones Botas, 1951.

Grass, Günter. *The Tin Drum.* New York: Vintage, 1964.

Gurza, Agustín. "José Revueltas: Mexico's Most Wanted Writer". *La Voz del Pueblo,* 3, No. 5 (junio, 1972), 5.

Harding, Mary Esther. *Journey Into Self.* New York: Longmans, Green, 1956.

————. *The I and the Not I: A Study in the Development of Conciousness.* Bollingen Series LXXIX. New York: Pantheon Books, 1965.

Hays, H. R. "Translator's Note to José Revueltas" *The Stone Knife.* New York: Reynal and Hitchcock, 1947.

Heineman, Frederick Henry. *Existentialism and the Modern Predicament.* London: Adam and Charles Black, 1953.

Henderson, Joseph L., and Oakes, Maud. *The Wisdom of the Serpent: The Myths of Death, Rebirth, and Resurrecction.* New York: George Braziller, 1963.

Hesse, Herman. *Demián: Historia de la juventud de Emilio Sinclaire,* Trad. Luis López-Ballesteros y de Torres. México: Editorial Colón, 1947.

Irby, James East. "La influencia de William Faulkner en cuatro narradores hispanoamericanos". Tesis, Universidad Nacional Autónoma de México, 1956.

Jacobi, Jolande. *Complex/Archetype/Symbol in the Psychology of C. G. Jung.* Trans. Ralph Manheim. Bollingen Series XVII. Princeton: Princeton University Press, 1959.

"José Revueltas y José Agustín: La realización del sueño". *Los Universitarios,* julio de 1973, p. 2.

Jung, Carl Gustav. *Modern Man in Search of a Soul.* Trans. W. S. Dell and Cary F. Baynes. New York: Harcourt, Brace and World, 1933.

————. *Psychological Reflections.* Bollingen Series XXXI. Selected and edited by Jolande Jacobi. New York: Pantheon Books, 1953.

――――. *Man and His Symbols*. New York: Doubleday, 1964.

――――. *Symbols of Transformation: An Analysis of the Prelude to a Case of Schizophrenia*. Trans. R. F. C. Hull. Bollingen Series XX. *Collected Works,* Vol. 5. Princeton: Princeton University Press, 1967.

――――. *The Archetypes and the Collective Unconscious*. Trans. R. F. C. Hull. Bollingen Series XX. *Collected Words,* Vol. 9, Part 1. Princeton: Princeton University Press, 1967.

Jung, Carl Gustav. *Aion: Researches into the Phenomenology of the Self*. Trans. R. F. C. Hull. *Collected Works,* Vol. 9, Part 2. Princeton: Princeton University Press, 1968.

――――. *Los complejos y el inconsciente*. Madrid: Alianza Editorial, 1970.

Kayser, Wolfgang. *Interpretación y análisis de la obra literaria*. Madrid: Gredos, 1961.

Kirk, Betty. "Most Despairing of All: *The Stone Knife*". *Saturday Review of Literature,* 30 (August 2, 1947), 14.

Langford, Walter M. *The Mexican Novel Comes of Age*. Notre Dame, Indiana: University of Notre Dame Press, 1971.

Layard, John. *Stone Men of Malekula: Vao*. Vol. 1, Lonnon: Chatto and Windus, 1942.

Leack, Edmund R. *Myth and Cosmos: Readings in Mythology and Symbolism*. Ed. John Middleton. New York: Natural History Press, 1967.

León-Portilla, Miguel: "Mythology of Ancient Mexico". *Mythologies of the Ancient World*. Ed. Samuel N. Kramer. Chicago: Quadrangle Books, 1961.

Magdaleno, Mauricio. "Algo acerca de *Los días terrenales*". *El Universal,* 25 de octubre, 1949.

Martínez, José Luis. *Literatura mexicana, siglo XX, 1910-1949*. 2 vols. México: Robredo, 1949-50.

Mediz Bolio, Antonio. "*Los días terrenales* de José Revueltas". *El Nacional,* mayo 6, 1950.

Menéndez, Miguel Ángel. *Malintzin en un fuste, seis rostros y una sola máscara*. México: La Prensa, 1964.

Menton, Seymour. "La estructura épica de *Los de abajo* y un prólogo especulativo". *Hispania,* 50, No. 4 (diciembre 1967), 1001-11.

――――. *El Cuento Hispanoamericano*, Vol. 2, 1a. ed. México: Fondo de Cultura Económica, 1964.

Morris, Alice S. "Nightmare with Mexican Backdrop: *The Stone Knife*". *New York Times Book Review,* June 29, 1947, p. 18.

Neumann, Erich. *Depth Psychology and a New Ethic*. New York: G. P. Putnam's Sons. 1969.

――――. *The Origins and History of Consciousness*. Trans. R. F. C. Hull. Bolingen Series XLII. Princeton: Princeton University Press, 1971.

――――. *The Greath Mother: An Analysis of the Archetype*. Trans. Ralph

Manheim. Bollingen Series XLVII. Princeton: Princeton University Press, 1972.

Norman, Dorothy. *The Hero: Myth/Image/Symbol.* New York: The World Publishing Co., 1969.

Existentialism Versus Marxism. Conflicting Views on Humanism, George Novack, Ed., New York: Delta, 1966.

O'Faoláin, Seán. *The Vanishing Hero: Studies in Novelists of the Twenties.* London: Eyre and Spottiswoode, 1956.

O'Neill, Samuel. "Psychological-Literary Techniques in Representative Contemporary Novels of Mexico". Ph. D. dissertation. University of Maryland, 1965.

Ortega, Adolph. "The Social Novel of José Revueltas". Ph. D. dissertation. University of Southern California, 1971.

—————. "El realismo y el progreso de la literatura mexicana (1977)". *Conversaciones con José Revueltas,* Xalapa: Universidad Veracruzana, 1977, pp. 45-51.

Ortega y Gasset, José. *Meditaciones del Quijote e ideas sobre la novela.* Madrid: Revista de Occidente, 1956.

Ortiz, Fernando. *El huracán, su mitología y sus símbolos.* México: Fondo de Cultura Económica, 1947.

Palley, Julian. "Archetypal Symbols in *Bodas de sangre".* Hispania, 50, No. 1 (marzo, 1967), 74-79.

Paz, Octavio. "Una nueva novela mexicana". *Sur,* 105 (julio, 1943), 93-98.

—————. *El laberinto de la soledad.* México: Cuadernos Americanos, 1947.

—————. "Xavier Villaurrutia o el dormido despierto". *Vuelta,* No. 14 (enero de 1978), p. 12.

Plancarte y Navarrete, Francisco. *Prehistoria de México.* México: Imprenta del Asilo, "Patricio Sanz", 1923.

Popol Vuh: Las antiguas historias del Quiché. Trad. Adrián Recinos. México: Fondo de Cultura Económica, 1952.

Portal, Marta. *Proceso narrativo de la Revolución Mexicana.* Madrid: Espasa Calpe, 1980.

Raglan, F. R. R. S. *The Hero: A Study in Tradition, Myth and Drama.* London: Watts and Co., 1949.

Romero, Publio Octavio. "Los mitos bíblicos en *El luto humano".* Texto Crítico (Xalapa), Año I, No. 2 (julio-diciembre de 1975).

Ruffinelli, Jorge. *José Revueltas, ficción, política y verdad.* Xalapa: Universidad Veracruzana, 1977.

Sábato, Ernesto. *Sobre héroes y tumbas.* Buenos Aires: Editorial Sudamericana, 1965.

Sahagún, F. Bernardino. *Historia general de las cosas de Nueva España.* 4 vols. Anotaciones y apéndices, Ángel María Garibay K. México: Porrúa, 1969.

Sáinz, Gustavo. "La última entrevista con Revueltas", *Conversaciones con José Revueltas,* Xalapa: Universidad Veracruzana, 1977, pp. 9-13.

Santamaría, Francisco J. *Diccionario general de Americanismos.* 3 vols. México: Robredo, 1942.

Schneider, Luis Mario. "Después de 12 años, revive la polémica sobre la obra de José Revueltas". *El Gallo Ilustrado,* No. 11 (9 de septiembre de 1962), 2.

Schwartz, Kessel. *A New History of Spanish American Fiction.* 2nd. vol. Coral Gables, Fla.: University of Miami Press, 1972.

Séjourné, Laurette. *Pensamiento y religión en el México antiguo.* México: Fondo de Cultura Económica, 1957.

Selva, Mauricio de la. "José Revueltas". *Diálogos con América.* México: Cuadernos Americanos, 1964.

Slick, Samuel L. "The Positive Hero in the Novels of José Revueltas". Diss., The University of Iowa, 1974.

Slochower, Harry. *Mythopoesis: Mythic Patterns in the Literary Classics.* Detroit: Wayne State University Press, 1970.

Sommers, Joseph. "Reseña a *Los errores*". *Books Abroad,* No. 3 (1965), 329-30.

————. *Yáñez, Rulfo, Fuentes: La novela mexicana moderna.* Caracas: Monte Ávila Editores, 1969.

Spencer, Sharon. *Space, Time and Structure in the Modern Novel.* New York: New York University Press, 1971.

Sten, María. *Las extraordinarias historias de los códices mexicanos.* México: Joaquín Moritz, 1972.

The Hero in Literature. Ed. Victor Brombert. New York: Fawcett, 1969.

Terríquez Sámano, M. Ernesto. *Una Visión de Revueltas: Ideología y Mito en* El Luto Humano, Colima, 1977.

Tibón, Gutierre. *Diccionario etimológico comparado de nombres propios de persona.* México: Unión Tipográfica Editorial Hispano Americana, 1956.

Turón, Carlos Eduardo. "La inconoclastia de José Revueltas". *Cuadernos Americanos,* marzo-abril, 1970, pp. 97-125.

Vaillant, George C. *The Aztecs of Mexico: Origin, Rise and Fall of the Aztec Nation.* Harmondsworth: Penguin Books, 1950.

Villegas, Juan. "El leitmotiv del caballo en *Bodas de sangre*". *Hispanófila,* No. 29 (1966), 21-30.

————. *La estructura mítica del héroe en la novela del siglo XX.* Barcelona: Editorial Planeta, 1973.

Wheelwright, Philip. *The Burning Fountain: A Study in the Language of Symbolism,* Bloomington: Indiana University Press, 1968.

Whitmont, Edward C. *The Symbolic Quest: Basic Concepts of Analytical Psychology.* New York: Puntnam's Sons, 1969.

Zum Felde, Alberto. *Índice crítico de la literatura hispanoamericana: La narrativa.* México: Guaranía, 1959.

ÍNDICE

31 - V - 85
1 000 ejemplares
Impresora Eficiencia
México, D. F.